여성들의 날개짓

홈케어서비스 애니맘

오정애 지음

여성들의 날개짓

발 행 2024년 9월 9일
저 자 오정애
펴낸이 허필선
펴낸곳 행복한 북창고
출판등록 2021년 8월 3일(제2021-35호)
주 소 인천 부평구 원적로361 216동 1602호
전 화 010-3343-9667
이메일 pilsunheo@gmail.com
홈페이지 https://www.hbookhouse.com
판매가 | 12,700원
ISBN 979-11-93231-12-8 (03190)

여성들의 날개짓

홈케어서비스
애니맘

오정애 지음

동연북하북창고

목 차

프롤로그

당진살이 정착기

아버지의 대장암 말기라는 시한부 소식을 접하고 서둘러 한 결혼. 결혼 후 두 아이를 낳고 삶의 터전을 찾아 몇 번의 이사를 통해 현재 생활하고 있는 당진으로 이사를 왔다. 무일푼으로 시작한 결혼생활은 만만치가 않았다. 결혼하고 2~3년 동안 한곳에 정착하지 못하고 다양한 일들을 해보았지만, 상황은 점점 더 나빠져만 갔다. 여러 상황이 복잡하게 얽히면서 남편의 고향인 당진으로 네 번째로 이사해 지금까지 당진살이를 하고 있다.

인천에서 20년 넘게 생활하다 작은 농촌 마을에 정착하고 남편과 함께 작은 정육점을 시작했다. 작은 정육점을 시작하며 가정의 안정을 위해 우리 부부는 여러 가지 노력을 했다. 남편은 정육점을 운영하며 남는 시간에는 시간제 일거리를 찾아다

넜고, 나는 아침이 되면 어린 두 아이를 데리고 출근해 매장을 지키며 두 아이를 돌보는 일을 했다. 매일 집과 매장을 오고 가는 단조로운 일상은 마치 집과 매장이라는 울타리 안에 갇힌 듯한 삶이었다. 가족과 생계라는 울타리 안에 갇혀 있는 내 삶에 나는 점점 지쳐가고 있었고, 새로운 변화를 주고 싶었다.

 20대에 운전면허증을 취득했지만 여러 가지 이유로 운전을 하지 못했던 나는 다행히 걸어서 20분 이내에 웬만한 다양한 문화시설이 있는 지역에 거주했다. 지역 신문인 벼룩시장과 당진교차로를 통해 지역에서 진행되고 있는 다양한 행사나 프로그램을 표시하여, 주말이 되면 아이들 손을 잡고 문화공간을 찾아 지역탐방과 체험활동을 하러 다녔고, 아이들이 없는 시간에는 여러 교육프로그램에 참여하면서 다양한 경험을 쌓았다. 아이들과 함께 하는 다양한 체험시간은 아이들에게 체험 기회를 주기 위함이라고 말했지만, 사실은 나를 위한 힐링의 시간이었다.

 큰아이가 초등학교 5학년 되던 해 축구를 좋아했던 아들은 차로 10분 정도 이동해야 하는 거리에 축구를 배우러 가야 하니 데려다 달라고 했다. 그런 아들의 말에 남편은 자전거를 태워서 보내라는 말을 하는데 얼마나 화가 나든 지……. '이건 아니지'라는 생각이 들었다. 자동차운전을 해야겠다는 생각이 든 나는 지인에게 도로연수를 부탁했고, 도로연수를 받기 위해 15년 동안이나 장롱에 처박혀있던 면허증을 꺼내 보름에 가까운 기간 동안 도로연수를 받고 운전을 시작했다.

 그렇게 나의 세상에도 새로운 세상이 찾아왔다. 처음 운전을 시작하고 아이들과 여기저기 여행을 다녔다. 차선 변경을 못해 옆 차선에 차가오는지 안 오는지 아들과 딸이 확인해주면서 "엄마 가도 돼. 가, 가"라고 외치기를 몇 개월이 흘렀다.
 내비게이션을 제대로 보지 못하고 고속도로 길을 잘못 들어 오랜 시간을 되돌아오기도 했다. 때론 고속도로에서 빠지는 길을 잘못 빠져 얼른 후진해 나오면서 벌벌 떨었던 일 등 요즘 흔히들 말하는 김 여사 같은 짓도 많이 하고 다녔다. 지금 생각하면 헛웃음이 나온다. 하지만 그때 그렇게라도 운전하지 않았다면 아직도 뚜벅이 삶을 벗어나지 못했을 것이다. 그때의 김 여사가 있었기에 지금은 다른 지역까지 이동하고 다니는 활동적인 삶을 산다. 이제 아들과 딸은 어느덧 자라 자신들의 꿈을 찾아 떠나고 남편과 나 둘이서 지내고 있다.

 20살이 되면서 아들과 딸은 학업을 위해 우리의 곁을 떠나 자신의 미래를 찾아 떠나고, 남편은 남편대로 자기 일을 하며 지냈으며, 하루의 일과가 끝나면 유일한 낙인 당구를 치며 하루하루 즐거운 나날을 보낸다. 나는 나의 본업인 자영업을 계속 유지했다. 하지만 아이들이 없는 자리에 왠지 모를 공허함과 허전함이 남았다.

공허함을 달래는 방법으로 나는 공부를 시작했다. 어떤 공부를 해야 할지 망설이던 나는 지인의 권유로 방송통신대학교 교육학과를 입학하여 새로운 삶에 도전했다. 그리고 시간이 날 때면 틈틈이 여기저기 교육프로그램에 참여하며 자격증을 취득하고, 문화공간을 찾아다니며 다양한 사람들을 만나고 다녔다. 그러던 중 당진시에서 진행하는 퍼실리테이터 자격증 양성과정에 참여했다.

이 과정은 '평생 학습 중장기 발전계획수립'을 위한 사업안에 필요로 편성된 자격증프로그램이었다. 퍼실리테이터 자격인증조건은 3일간 8시간씩 진행되는 이론교육에 100%로 참여해야 했고, 실습 40여 시간을 이수한 후 협회 평가를 받아 통과되면 인증서가 발급된다고 했다. 나는 이론교육 24시간을 참여하고, '평생 학습 중장기 발전 계획수립'을 위한 토론현장에 퍼실리테이터로 활동을 하는 등 퍼실리테이터 인증 취득을 위한 조건에 해당할 수 있도록 토론현장이 있는 장소면 어디든 참여하여 활동했다.

뒤늦은 방송통신대학교 교육학과를 졸업하고, 퍼실리테이터 자격인증서와 여유가 있을 때 참여 했던 다양한 프로그램들의 경험과 자격증은 나의 당진살이에 좀 더 다양한 사회활동을 할 수 있는 원동력이 되었다.

1 어공과의 어쩌다 만남

4년 전 태양이 뜨겁게 내리쬐던 8월 어느 날이었다. "언니"를 외치며 다니는 한 사람을 만났다. "언니들 저랑 함께 일해요. 언니들 저랑 같이 일하면 안 돼요."라고 외치는 그 말이 내 귀에 왜 그렇게 정겹게 들렸던지. '언니'을 외치며 다닌 그녀의 이름은 '임원정규'였다.

전 정부와 지방자치단체에서는 여성과 남성이 평등하게 참여하고 여성의 역량 강화, 돌봄 및 안전이 구현될 수 있도록 여성 친화 도시를 지정하고 이를 지원했다. 우리 지역에서도 여성 친화 도시 조성을 위해 노력하고 있었지만 지지부진한 결과를 내고 있었다. 그녀는 지역의 여성 친화 도시 사업을 좀더 빠르고 폭넓게 활성화하기 위해 지자체에서 여성 전문 인력으로 추천받아 3년 임기제로 계약해 대전에서 생활하다 당진으로 이주해온 이주 여성이다.

 그때 당시 나는 모르고 있었지만, 각 지자체에서는 여성, 아동, 청소년, 노인, 장애인 등 사회적 약자를 배려하는 사업이 많이 진행되었다. 지역정책과 발전과정에 남녀가 동등하게 참여하여 여성의 성장과 안전이 구현할 수 있도록 하고, 사업 혜택이 모든 주민에게 고루 돌아가게 하는 여성 친화 도시 조성을 위해 많은 여성 활동가들이 움직이고 있었다.

 그녀는 대전에서 여성 인권 향상을 위해 여성 운동가로 활동했으며, 충청남도 15개 시군구의 여성들을 모아 여성들의 인식개선과 인권 보호, 지위 향상을 위해 다양한 활동과 사업을 진행했다. 대표적으로 『고사리』라는 '고령사회를 이롭게 하는 여성단체'를 만들어 충남 지역에 다양한 여성들을 모아 함께 일할 수 있는 공동체를 형성하여 지역 여성들의 관계망을 형성하고 협력할 수 있도록 하여 단합된 여성들의 모임을 만들었다.

 긴 머리의 커다란 체격의 시커먼 옷을 입은 그녀는 시 청사 안 카페에서 차 마시고 있는 우리 곁으로 다가와 말했다.

"언니들, 지역 언니들과 여성 일거리 창출 건으로 토론회를 진행하려고 하는데 함께 해주면 안 돼요?" 툭 말을 내뱉는다.

"아 토론회요. 좋죠. 언제 어디서 진행하실 예정인데요?"

"아직 일정은 확실하지 않아요. 준비해서 일정을 잡아야죠"

"아 그렇군요. 그런데 우리를 어떻게 알아서 이런 제안을 하세요.?"

"소문 들었어요. 언니들이 이번에 퍼실리테이터 자격을 인증받은 언니들이라고. 지역이 좁잖아요. 하하하…….'

그렇게 처음 만나 자신을 여성가족과 TF팀 팀장이라고 본인을 소개한 그녀는 양부모의 성을 함께 사용하여 성이 '임원' 이름이 '정규'라고 했다. 간혹 여성 운동가가 '양부모의 성을 사용해 이름을 만들어야 한다.'라는 이야기는 들었지만, 실질적으로 내가 아는 주변인 중 양부모 성을 사용해 이름을 가지고 인사하는 사람은 처음이었다. 특이한 만큼 행동도 다른 사람들과 조금 달라 보였다. 시간이 얼마 지나지 않아 관내에 있는 '여성의 전당'에서 지역 여성 40여 명을 모아 새로운 여성 일거리 발굴을 위한 토론회를 3시간 동안 진행했다. 우리는 토론회에 퍼실리테이터로 참석했다. 그렇게 서로가 인사를 한 후 토론회를 함께 진행하면서 우리의 인연이 시작되었다.

일거리 발굴을 위한 토론회가 끝나고 한동안 서로 연락

없이 지내던 우리는 한참의 시간이 지나서야 퍼실리테이터로 함께 활동했던 분들을 만날 자리가 있었다. 그중 한 분이 우리에게 물었다.

"저번에 여성 일거리 발굴을 위한 토론회를 진행했던 임원정규 팀장이 다음연도 여성 일거리 보조금 사업에서 우리가 도와주었으면 하는 일이 있다는데 하실래요?"
"어떤 일일까요. 어떤 일인지 몰라도 우리가 도와줄 수 있는 일이면 도와드리면 좋죠."
"우리에게도 활동 거리가 생기면 좋죠."
"어떤 일인지 물어봐 주세요."

다들 한마디씩 거든다. 퍼실리테이터 자격 인증을 받은 사람은 나를 포함해 모두 여섯 명이었다. 그렇게 우리 여섯 명은 임원 정규팀장과 다시 한번 반가운 만남의 시간을 가졌다.

"언니들 안녕하세요. 잘들 지내셨죠? 저번 토론회 때 사람들을 잘 이끌어 주어 다양한 일거리 사업이 발굴됐어요. 감사합니다. 하하하"
역시나 활력이 넘친다. 활달한 성격에 힘이 있는 목소리는 옆에 있는 사람들의 분위기까지 영향을 준다.

"별말씀을요 저희가 감사했죠"

"언니들, 언니들이 이번에도 저 좀 도와주세요. 당진 형 여성 일 거리 사업을 진행하는 단체들이 사업을 잘 진행할 수 있도록 옆에서 협력해주고 힘들어하는 부분이 있으면 헤쳐 나아갈 수 있도록 지원해주는 중간조직역할을 해주는 단체가 필요해요. 여성단체가 원활한 사업을 진행할 수 있도록 중간조직 역할을 언니들이 진행해 주면 좋겠어요. 해주실 수 있죠.?"

"우리가 할 수 있겠어요?"

"할 수 있어요. 퍼실리테이터 인증을 받기 위해 활동해 본 경험도 있고 하니 누구보다 잘할 수 있어요, 또 처음부터 잘하나요. 하다 보면 경력도 쌓이고 하면서 느는 거지요."

그녀의 열정적인 말과 설득력 있는 목소리에 우린 다른 생각 할 겨를도 없이 하겠다고 답을 했다. 아마도 그녀에게는 사람을 끌어당기는 마력이 있는 것 아닌가 싶다. 임 팀장과 만남이 있던 그 날 이후 우리는 2020년도 하반기 내내 종종 만났고 여성 일거리와 여성에 관한 사회적 문제점과 이슈에 관해 많은 이야기를 나누었다. 서로 다양한 이야기를 주고받으며 임 팀장이 무엇을 하고자 하는지 그녀의 생각과 가치관을 많이 알 수 있었다.

2 새로운 경험을 시작하다

2020년 1월에 첫 발생한 코로나 19

코로나 19는 전 세계적으로 무서운 위험과 재난을 일으켰고, 우리의 일상을 송두리째 바꾸어 놓았다. 너무나 힘들었던 2020년. 2020년을 지나 2021년이 되었다. 우리는 잠시 숨을 고르며 임 팀장과 퍼실리테이터 구성원들끼리 많은 회의를 하며 중간조직에서 해야 할 역할과 활동에 대해 구체적인 내용을 의논하고 정리한 내용과 필요성을 작성하여 공모사업에 사업계획서를 제출하기로 했다.

그렇게 어느덧 시간은 흘러 2021년 3월

여성 일거리 인큐베이팅 공모 사업신청을 위한 공고가 시청 홈페이지에 올라왔다. 우린 공모사업에 선정된 단체들의 사업이 원활하게 진행될 수 있도록 협력하는 중간조직으로 활동할 '동그라미 세상'이라는 단체를 만들어 사업계획서를 제출했다. 2021년도 여성일거리 인큐베이팅 공모사업에 선정된 단체는 우리 '동그라미 세상'을 포함해 총 17개 단체가 선정되었다.

'동그라미 세상'에서는 16개 단체가 원활한 사업을 진행할 수 있도록 회계 정산 방법과 서류 정리 방법 및 사업 진행 방향에 있어 어려운 부분을 관을 대신해 단체와 함께 논의하여 단체 방문을 통해 사업을 원만하게 마무리할 수 있도록 협력 지원하기로 했다.

"언니 내일 회의 있는데 오면 안 돼요?"
"무슨 회의인데요?"
"여성 일거리에 관한 거죠. 뭐. 시간 되면 와요."
"알았어요. 내가 참석해도 되는 회의면 참석할게요."

다음날 회의에 참석한 나는 그 자리에 모인 여러 사람과 서로 간단한 인사를 하고 그들의 이야기를 말없이 듣기 시작했다.

"그래서 우리가 할 수 있는 일인 거죠?"
"대상은 여성인가요?"
"활동비는 주는 거예요?"
"우리 지역은 아이들은 없고 어르신들이 많아 많은 도움이 필요할듯해요."
각자 본인들이 사는 지역의 현황을 말하면서 도움이 필요한 것에 대한 다양한 내용을 이야기했다. 1시간이라는 시간은 금방 흘러갔다. 하지만 회의 내용은 계속해서 같은 이야기만 되풀이되며 앞으로 나아가지를 못했다. 일주일 뒤 다음 회의 일정을 정한 구성원은 모두 되돌아갔다. 나는 회의에 참석은 했지만 뭘 해야 하는지 몰라 물었다.

"내가 이 모임에서 뭘 해야 해요. 내가 뭘 해야 하는지 잘 모르겠는데요."
"그래도 다음 회의 때, 또 참석 해주세요."
"다음 주에도요?"
"왜?"

하지만 다른 대답이 없어 나도 더는 질문을 하지 않고 다음 주 일정에 약속 시각을 표시하고 서로 헤어졌다. 다시 돌아온 두 번째 모임 날이었다. 이번 모임에서도 지난주와 같은 이야기들이 오고 갔다. 가만히 이야기를 듣고 있던 임 팀장은 구성원들에게 다시 한 번 이번 일거리 사업에 관한 사업 내용을 간단명료하게 설명했다.

"언니들 우리가 진행하려고 하는 사업은 여성 일거리 창출로 어르신들을 돌보고, 어린 아동들을 돌보는 일, 혼자 어렵게 농사를 짓고 있는 어르신들의 일손돕기, 독거노인들과 어려운 환경에 처해 있는 분들에게 음식 서비스 및 청소를 해주는 활동 등 여성들이 긴급하게 도움이 필요한 경우에 그들을 위해 도움을 주는 활동을 하고, 활동비를 받는 거예요. 언니들이 결혼해서 아이를 키우고, 부모님을 모시면서 지금까지 해오던 일이잖아요. 그런 일들을 언니들이 해줬으면 좋겠어요. 공짜나 봉사가 아닌 여성의 일거리로요."

"이 일을 진행하려면 무상은 안되고 활동비는 어떤 방법으로 얼마를 지급 할거예요?"

"언제부터 어떻게 진행하려고 하세요?"

"그런 방법들을 언니들이 논의해 주셨으면 좋겠어요."

"시간이나 활동비 등은 어떻게 지급해요?"

"활동시간과 활동비 부분은 시 보조금으로 지급하는 사업이며, 최저시급은 그렇고 3시간에 5만 원으로 하면 안 될까요?"

"구체적으로 진행이 될 수 있는 건지 서류화 작업을 해야 하는 거 아니에요?"

사람들의 질문은 끊임없이 이어졌다. 대략 '어려운 분들을 위해 여성들의 인력을 활용하여 활동하고 활동비를 지급하는 형식의 여성 일거리 활동 인가보다' 정도의 생각이 들 때쯤 회의시간은 끝이 났다. 사람들은 끝인사를 하고 뿔뿔이 흩어져 갔다.

나는 모두가 떠난 자리에 궁금한 부분이 있어 남아있었다.

내가 질문을 하기 전, 임 팀장은 온라인사이트에서 진행되고 있는 『애니맨』에 대해 간단히 설명해 준다.

『애니맨』은 온라인사이트에서 일상생활에 긴급하게 도움이 필요한 사람이 '애니맨'에 도움 요청의 글을 올리면 일반 회원가입자 중 활동이 가능한 사람이 승낙의 표시를 한 후 활동비를 받고 긴급한 문제를 해결해 준다. 『애니맨』은 생활민원해결서비스 시스템으로, 개인이 유상으로 운영되는 어플리케이션 채널이다.

임 팀장은 『애니맨』을 변형해 『애니맘』을 만들자고 했다. 지역 내 여성과 시민이 긴급하게 도움이 필요한 경우 내 지역의 민원인을 지역 내 활동가가 도움을 주고 지방자치단체의 보조금 사업비용을 이용해 활동비를 지급한다. 여성들의 시간제 일거리를 만들어 여성들의 수익구조를 만들어 주고, 사회활동을 유도하고자 한다는 것이었다. 『애니맘』 사업을 위해 2020년인 전년도 하반기부터 지역을 돌아다니며 활동가들을 모았고 시범적으로 『애니맘』 사업을 진행하기 위한 6개 지역의 대표단과 구성원들을 만들어 왔단다.

"그런데 질문이 있는데요. 이 사업은 기초생활 수급 대상자나, 틈새의 어려운 분들한테만 진행하는 거예요?"
"아니 긴급하게 도움이 필요한 경우에는 일반여성들도 도움을 받을 수 있어요."
"그렇구나. 내가 듣기에는 긴급하고 어려운 분들에게만 활동을 진행하는 것처럼 들려서요."
그랬다. 내가 두 번의 회의에 참석해서 들었던 생각은 이 사업은 기초생활 수급 대상자나, 사회적 약자인 어려운 환경에 놓인 사람들에게만 진행되는 사업인 것으로 생각되었다.

"아니야, 언니들이 지금까지 어려운 분들을 대상으로 봉사로만 활동해 왔기 때문에 그쪽만 보여서 그래요. 말을 해도 내 말이 안 들리네. 어떡하지?"

"아 그랬구나. 이제야 조금 이해가 가네요. 나는 내가 잘못 알아들은 줄 알았어요."

여성의 일거리를 만들어가는 회의는 매주 1회씩 진행되고 있었다. 나는 매번 이 모임에서 내가 무엇을 해야 하는지 고민을 하면서 회의에 참석했다. 홈케어 서비스 애니맘 사업은 여성 친화 도시 조성에 관한 조례 제7조 2항(여성의 경제 사회적 평등실현), 5항(여성 사회참여 활성화와 지역 공동체 강화)에 의해 추진되었다. 중장년 여성의 일거리로 초고령화 사회가 되어가고 있는 지역주민들의 생활 여건을 고려한 "어르신 보살핌"을 기초로, 1인 가구, 전입가구, 취약계층, 틈새 아동 돌봄, 긴급한 도움이 필요한 여성 등 기존 사회정책의 범위를 벗어나 삶의 틈새에 필요한 영역을 발굴하여, 다자간 협력체계를 구축하여 정주 여건을 만족하게 만들어보고자 하는 사업의 일환이었다. 회의는 한 달 이상 매주 진행되었으나 별로 진전은 없었다.

"홍보방법은 어떤 방법으로 진행할 거예요?"

"활동신청이나 활동비를 입금받게 하려면 어떻게 해야 하는데요?"

이런저런 문제점은 나오는데 해결의 대안이 나오지 않았다. 아무도 해보지 않았던 일을 하려고 하니 서로 다른 생각들과 문제 제기로 해결 방안이 쉽게 나오지 못했다. 매주 같은 이야기를 되풀이하며 방법을 찾아가기 위한 회의는 계속되었지만, 어떤 결론이 나오지는 못했다.

3 코로나 19의 위기가 시작의 발판이 되다

2020년도 1월경 중국에서 처음 발생 된 코로나 19는 전 세계로 퍼져 나갔고 우리나라에서도 많은 사람을 죽게 했고 사람들의 삶을 공포로 몰아넣었다. 코로나 19는 치료제도 예방 백신도 없었다. 그래서 차선책으로 모든 시민이 마스크 사용을 의무화했다. 마스크를 사용하지 않으면 거리를 돌아다니지 못하게 하는 등 일상생활에 심각한 제한을 두기도 했다.

사람들의 삶은 나날이 힘겨워져 갔다. 치료제가 없어 치료를 못 했던 코로나 19에 1년이 지난 2021년 4월이 되어서야 치료제가 만들어졌다는 뉴스 보도가 나왔다. 1차로 연세가 많은 사람과 기저 질환자부터 예방 접종을 한다고 정부가 발표했다. 내가 사는 관내에서도 연세가 많은 분과 기저 질환자부터 예방 접종을 시작했다. 문제는 예방 접종을 하기 위해서는 예방 접종 지정 장소로 이동을 해야 한다는 것이었다. 거동이 불편한 어르신들이 버스 시간을 맞추어 이동해야 했기에 지방 도시의 외곽에서 생활하는 어르신들의 백신 접종은 원활하지 못했다. 이런 상황을 지켜보던 임 팀장이 한 마디 내뱉는다.

"언니들, 우리가 코로나 19 예방 접종 병원 동행을 도와드리면 어떨까요? 이미 지역마다 활동하실 분이 몇 분씩 만들어져 있는데, 우리가 활동 개시해서 예방 접종을 하실 수 있도록 해보면 좋을 것 같아요.

"아무런 준비가 안 되어 있는데 가능해요?"

"일단 활동을 시작하고 방법을 찾아가면 되지 않을까요? 일단 시작해봐요."

여성 일거리 '애니맘' 사업 운영을 위해 모였던 우리는 그렇게 첫 활동을 시작했다. 코로나 19 백신 예방 접종이 필요한 어르신을 지정된 장소로 모시고 가기 위해 지역활동가 대표는 2가지 방법 중 구성원들과 논의해 편한 방법 한 가지를 선택해 진행했다.

첫 번째 방법은 한 사람이 예방 접종자 자택에서 어르신을 모시고 출발해서, 접종 후 집까지 모셔다드리는 방법이다.

두 번째 방법은 한 활동가가 외곽 지역의 어르신을 읍·면 중간지점까지 모시고 나오면 다른 활동가가 예방 접종 지정 장소로 이동해 접종을 하고 처음 중간지점으로 모시고 온다. 그러면 다시 그곳에서 다른 활동가가 어르신을 자택까지 모셔다드리는 방법이었다.

지역별로 활동가들이 편리하다고 생각되는 방법으로 활동은 시작되었고 매일 빠르게 백신 예방 접종자는 증가했다. 우린 이렇게 아무런 준비 없이 우리가 할 수 있는 일을 시작으로 지역의 어려운 환경에 놓인 분께 힘이 되어 주는 일을 시작했다.

4월부터 백신 예방 접종동행서비스로 시작된 애니맘 활동은 5월에도 계속해서 이어졌다. 그러던 중 '아는 지인이 자녀가 아픈데 나도 남편도 학교에 가서 아이를 데려올 수 있는 상황이 아니라 걱정이다.'라는 이야기를 들었다. 지인에게 애니맘에 대해 설명하고 애니맘을 연결하여 아픈 자녀를 데려올 수 있게 해주었다. 활동을 진행한 애니맘에게는 활동비 지급은 시 보조금에서 지급된다고 하니 한 달 정도만 기다려 달라고 부탁했다. 아픈 자녀 돌봄 활동은 그렇게 잘 마무리되었다.

4월부터 시작된 활동은 5월을 지나 6월에도 계속 지속하였다. 그런데 활동비 지급에 관한 이야기가 없었다. 아는 지인의 아픈 자녀 돌봄 문제를 애니맘에게 부탁했던 나는 활동비가 입금되지 않아 내심 걱정이 되었다.

"활동비 입금은 언제 돼요? 활동비 입금 언제 되는 거냐고 물어보는 사람이 많아요."

"활동비 줄 수 있는 근거 자료가 들어와야 하는데, 자료가 안 들어오니까 줄 수가 없어요."

"어떤 서류를 어떻게 드리면 되는데요."

"우선 활동가에 대한 인적사항이 적혀 있는 활동 신청서와 활동을 진행한 근거 자료가 들어오면 되지 않을까요?"

참 대책이 없었다. 활동은 했으나 활동한 자료가 하나도 없었다. 그래서 활동비를 주고 싶어도 활동비를 줄 수가 없다고 했다.

"그럼 지금이라도 빨리 만들어요."

"언니가 이 사업을 위해서 진행 준비를 해주면 안 돼요."

"그럼 내가 대략 서식을 만들어서 보내볼게요. 수정 보완해 주세요."

이렇게 활동비 지급 지연에 민원을 제기했던 나를 포함 세 사람은 갑자기 "애니맘" 사업을 진행 시키기 위한 운영진이 되어 버렸다. 6월 하반기부터 우리 3명은 사업에 필요한 서식과 자료들을 만들어가기 시작했다.

"언니들 애니맘 발대식부터 진행하면 좋을 것 같아요. 여성들이 함께하는 사업인데 소소하게라도 선포식을 하고 사업을 진행해야 사람들에게 소문도 나고 소개도 해주지 않을까요? 부지런히 준비해서 발대식하고 사업을 본격화하는 거로 해요."

그때부터 우린 몇 번의 수정 보완을 통해 애니맘 활동 신청서와 활동 보고서, 활동가 자료 등 발대식에 필요한 다양한 일들을 열흘 동안 부지런히 만들어갔다.

7월 5일 2시

애니맘 발대식을 하기로 한 우리는 50여 명 활동가에게 애니맘 신청서를 작성하여 제출하게 했다. 신청서를 제출할 때 신분증 사본, 통장 사본, 증명사진 등을 받아 활동 인력서류를 만들고 자료화하는 작업을 서둘러 진행했다. 활동하면서 입을 단체 조끼 제작, 홍보 전 단지 제작 및 인쇄, 발대식 날 진행 순서지 및 프로그램 개발, 초대장 등을 만들어 발송하며 하루하루 시간 가는 줄 모르고 빠르게 준비했다.

드디어 7월 5일이 되었다. 우린 30여 명의 활동가와 운영진, 지역신문 기자단, 사업 관련 담당자, 지역 내 다양한 활동가가 참여한 가운데 우리만의 작고 소소한 애니 맘 발대식이 이루어졌다. 그렇게 애니 맘은 공식적으로 세상 밖으로 나왔다.

"이젠 활동비 지급을 위해 활동 보고서를 작성해서 제출하면 될까요?"
발대식에 이어 활동비 입금을 위한 작업은 계속되었다.
"네 보고서 작성해서 제출 해주세요."
"네 지역자료 모아서 준비하겠습니다. 준비되면 연락드릴게요."

6개 지역에서 활동환 자료를 모아 전산입력을 하고 출력하여 제출하면 되겠지 하고 생각한 활동 보고서 만들기 작업에 변수가 생겼다. 활동 보고서 작성을 위해 지역 대표님께 활동 자료를 요구하니 아뿔싸 4월부터 활동한 지역 중 한두 지역에서 활동한 자료가 하나도 없단다. 급하게 활동을 시작하다 보니 무엇을 어떻게 해야 하는지 안내가 없어, 활동가분들이 사진을 한 장도 찍지 않고 어르신들만 모시고 예방 접종을 하러 다녔단다.

 근거 사진을 찍지 않고 활동했던 지역의 활동가들에게 전후 사정을 설명하고 이번 활동을 인정 해주지 못해 앞으로 활동해야 하는 활동 횟수를 다른 지역보다 더 늘려주기로 양해를 구했다. "그냥 봉사도 하는데 괜찮아요. 추가 쿠폰 지급해 준다면서요. 그럼 됐어요."라고 말씀하시며 흔쾌히 양해를 해주신다.
 자료가 없는 활동 건은 어쩔 수 없이 제외하고 보건소를 통해 예방 접종 확인 명단을 받은 활동들은 자료를 모아 활동 보고서 입력작업을 시작했다. 보고서에 활동가 인적사항을 기재하고 활동한 날짜 및 활동내용을 기재했다, 근거 사진들을 첨부하는 등 활동 보고서 작성하는 일은 생각보다 더디게 진행되었다. 컴퓨터 작업을 할 수 있는 활동가가 많지 않아 전산입력 작업 시간이 오래 걸렸다. 또한, 운영진에게 들어온 자료를 확인하여 오류 난 부분을 수정하다 보니 시간이 너무 오래 지체되었다.

 "팀장님 지역활동가들이 전산 작업을 하실 수 있는 분이 많지 않아요. 보고서 작성을 해줄 수 있는 사람을 세워야 할듯해요."

"네 그럼 어쩔 수 없죠. 전산 입력할 수 있는 사람을 지역마다 세울 수 있으면 한 명씩 세워주세요. 전산 입력할 사람이 없으면 어떡해요?"

"그건 제가 작성할게요.

　활동 보고서 작성에 컴퓨터 작업을 못 하는 지역의 어려운 환경에 부딪힌 우리는 또 한 가지의 어려운 부분을 그렇게 서로 논의하며 방법을 찾아갔다. 그렇게 어렵게 작성된 활동 보고서 덕분에 8월 말일경이 되었을 때, 우리 활동가들의 통장에는 그동안 지급되지 못했던 첫 활동비가 입금되었다. 활동가 전체 소통공간으로 카카오톡 전체대화방을 운영했던 나는 카카오톡 전체대화방에 글을 올렸다.

　『안녕하세요. 활동가님들 그동안 우리가 활동했던 활동비가 입금되었습니다. 통장 잔액 확인해보세요. 오랫동안 기다려 주셔서 감사드리며 애니맘 활동에 감사합니다. 금액 확인하시고 착오가 있으신 분들은 개인적으로 연락 주세요. 수고하셨습니다.』

　기다리고 기다리던 첫 활동비가 지급되던 날, 카카오톡 전체대화방에는 서로가 서로에게 감사하다는 글이 계속 이어졌다. 여성들의 일거리를 만들고자 모였던 6개 지역의 구성원들은 기나긴 반복된 회의와 기다림 끝에 뜻하지 않은 어르신들의 코로나 19 백신 예방접종을 위해 아무런 준비 없이 갑자기 시작되었지만, 모두가 한마음 한뜻으로 지역 어르신들을 위해 활동했으며, 그런 노력의 대가로 첫 금전적 수익을 창출하게 된 것이다.

 활동비가 입금되었다는 소식은 그동안의 힘들었던 모든 수고와 노력을 잊게 해주었다. 열심히 활동해 주신 모든 애니맘 활동가분들 감사합니다.

4 잘되고 있는 거 맞지?

애니맘 활동은 그렇게 우리들의 일상에서 긴급한 상황에 도움을 주는 활동으로 함께 하기 시작했다. 긴급하게 도움이 필요한 사람들은 전화 상담을 통해 어떤 도움이 필요로 하는지 설명 듣고, 어떤 방법으로 도움을 줄 수 있는지 방법을 논의했다. 논의가 끝나면 활동 가능한 활동가를 찾기 위해 지역 단체 방에 활동에 관한 알림 사항을 작성하여 글을 올렸다.

활동내용이 공지된 후 활동 가능한 애니맘이 의사를 표현하면 신청자와 활동가를 연결했다. 활동을 진행하기로 한 활동가가 신청자에게 확인 전화를 하면서 서로의 일정을 조율하여 활동을 진행할 수 있도록 한다. 애니맘에게 연결된 활동이 잘 진행되었는지, 활동보고서는 작성하여 제출하였는지 등 활동비 지급을 위해 필요한 절차들을 꼼꼼히 챙겼다.

긴급 도움을 주는 활동을 하는 동안 애니맘은 활동의 근거 자료로 활동 장소와 활동내용이 보이도록 사진을 제출해야 했다. 처음 도착해서 한 장, 끝날 때 한 장, 총 두 장의 사진을 찍어서 제출하기로 했다. 활동을 마친 후에는 활동 보고서 서식에 기재하여야 할 부분을 기재한 후, 내용이 작성된 보고서 사진을 찍는다.

활동가는 두 장의 활동사진과 보고서 사진 한 장, 총 세 장의 사진을 찍어 지역 카카오톡 대화방에 올려준다. 근거 자료가 올라오면 보고서 작성자가 전산 서식의 틀에 맞혀 작성한 후, 월말에 모든 자료를 운영진에서 통합하여 전체 서류를 검토한 후 시 담당자에게 제출하는 방법으로 활동은 이어갔다.

애니맘 활동 대상은 14개 읍면동 당진시민으로 1인 가구와 심신이 힘든 이웃, 취약계층, 육아 세대 등이었다. 활동내용으로는 돌봄(긴급 아이·어르신 돌봄), 청소(집 지정구역 정리수납, 청소, 이불빨래 대행 등), 음식(장보기 대행, 밑반찬 만들기 등), 인근 지역 동행(백신 접종 등), 현장지원(농촌일손 등) 등 긴급한 도움이 필요한 경우 서비스를 제공했다.

애니맘 활동 관련 신청 상담을 하다 보면 활동 가능 여부 판단이 참 어렵다. 객관적으로 긴급한 경우를 판단하기가 어렵기 때문이다. 긴급이라고 생각되는 다양한 사례를 가지고 상담을 진행한다. 하지만, 사연을 듣다 보면 안타까운 사연들이 많아 신청자들의 처지에서 생각하면 내적 갈등이 생기지 않을 수 없었다.

#예시 1

치매 어머니를 홀로 모시고 있는 아들 A 씨는 어머니가 주
간 보호시설에서 돌아오는 시간이 되면 농사일을 멈추고 집
에 와야만 했다. 어머니 귀가를 도운 뒤 씻기고 식사까지 차
리면 저녁이 되기 일쑤였다. 모자(母子)에게 도움을 주던 이
웃이 애니 맘이 돼 바쁜 농번기마다 돌봄 서비스를 제공하고
있다. 아들 대신 애니 맘이 어머니의 목욕을 돕고, 식사를 챙
긴다. 그리고 말벗까지 해드리니 아들은 걱정 없이 농사일을
마친 뒷집으로 돌아온다.

#예시 2

외출을 위해 짐을 꾸리는 사이 아이를 돌봐 달라는 요청이
애니 맘에 들어왔다. 신청자는 아이를 돌봐주는 시간 동안
한숨 돌리며 짐을 정리하는 것은 물론이고 그동안 하지 못했
던 일까지 모두 처리할 수 있었다.

#예시 3

당진시 외국인 근로자지원센터를 통해 스리랑카 부부의 사
연이 애니 맘에 전해졌다. 당진에 온 지 4년이 된 이들은 출
산을 앞두고 있었다. 아이가 태어날 시기가 곧 다가오지만,

산후도우미 서비스를 받을 곳이 없어 막막하던 상황에서 애니 맘에 의뢰가 들어왔다. 언어가 달라도 도움이 필요한 우리 이웃을 위해 언제든 달려가 도움을 주었다.

#예시4
당뇨가 있는 한 할아버지가 발가락을 다쳐 매일 병원에 가야 하는 상황에 부닥쳤다. 그러나 아내조차 암 투병 중이어서 평소 봉사로 이들을 도와주던 이웃이 애니 맘으로 등록하고 돌봄 서비스를 제공했다. 하지만 애니 맘 서비스만으로는 역부족이었다. 이에 애니 맘은 사회복지과의 긴급복지 서비스 연결을 도왔다.

출처 : 당진시대(http://www.djtimes.co.kr)

애니맘 활동가가 활동하는 범위의 우선순위는 내 지역의 활동가가 내 지역의 애니맘 활동을 먼저 진행한다. 내 지역의 활동가가 내 지역의 활동을 하지 못할 때 다른 지역의 활동가가 다른 지역으로 원정하여서 활동할 수 있도록 했다. 그러나 활동이 같은 시간 일정에 몰려 모든 활동가가 활동할 수 없는 경우에는 죄송하지만, 양해를 구하고 좀 더 급한 일정을 먼저 진행하고, 차선으로 진행해야 함을 안내했다. 활동이 많은 경우에는 운영진도 투입되어 활동을 진행될 수 있게 도왔다. 우리의 목표는 긴급하게 도움이 필요하다고 신청된 활동을 100% 활동할 수 있도록 하는 것이었다. 첫 시범 사업연도인 올해에는 50여 명의 활동가가 5천만 원이라는 예산으로 일거리를 만들었다. 활동가들은 서로 만족했다. 불협화음도 많지 않았다. 그렇게 시작된 애니맘 활동은 긴급하게 도움이 필요한 사람들과 함께한 2021년 시범 사업을 보람되게 마무리했다.

2021년 첫 애니맘 사업을 진행했던 6개 시범지역의 대표단과 구성원, 실무운영진, 사업을 진행한 부서담당자는 2022년도 사업을 진행하려는 방안을 모색하기 위해 논의하는 자리를 가졌다. 2022년도 사업 진행 방향에 대한 방법제시와 진행하면서 지켜져야 하는 가장 기본규칙을 만들고 필요한 것을 점검했다. 각자 바쁜 일상의 시간 속에서 긴급한 도움이 필요한 이웃에게 도움을 줄 수 있다는 뿌듯함과 여성 일거리로 수익을 창출할 수 있다는 기대감으로 우리가 할 수 있는 것들에 대해 열심히 논의했다.

당진시, '애니맘서비스' 발대식 개최

5 특별사례 Ⅰ : 노모와 아들

백발이 성성하고 미남형 얼굴의 남자분이 집 안에서 나와 우리를 반긴다.

"안녕하세요. 집이 정신없지만, 안으로 들어오세요."
"네 안녕하세요. 그럼 안으로 잠시 들어가겠습니다."
"네네 안으로 들어오세요."
"애니맘 활동가에게 현재 상황에 관해 이야기를 듣고 현장을 확인하고 어떤 도움을 어떻게 드려야 하는지 논의차 방문했습니다."
"네 감사합니다. 안 그래도 저희 같은 사람을 도와주는 활동이 있다고 해서 얼마나 감사한지 모르겠습니다."
"별말씀을요. 저희가 도움을 드려야 하는 데 도움이 될 수 있을지 걱정입니다."
인사를 나눈 백발이 성성한 남자분은 아프신 어머님을 돌보기 위해 서울살이를 접고 고향으로 내려와 세상에 한 분인 어머님을 돌보고 있는 60대 노총각 아들이다.

 아들은 젊은 시절 부모 곁을 떠나 서울로 올라가 직장을 다녔단다. 나름 잘 나가는 직장에 취업해 남부럽지 않은 회사 생활을 했다고 했다. 결혼을 원치 않았던 그는 결혼은 하지 않고 자신의 삶에 충실히 생활했다. 그러던 중 아버님은 돌아가시고, 어머님 건강에 이상이 생기어 거동이 어려워지기 시작하면서 홀로 계신 어머님을 돌보기 위해 다니던 직장을 그만두고 고향으로 내려와 어머님을 돌보며 농사를 짓고 있다고 했다.

 어머님은 거동이 안 되어 휠체어로 이동해야 하고 음식도 수저로 떠먹여야 한다고 했다. 평일에는 아침 9시경 주간 보호시설에서 집으로 찾아와 어머님을 모시고 가 오후 5시 30분이 되면 다시 모시고 온다. 어머님이 5시 30분경 집에 오면 저녁을 준비해 저녁식사를 하고 목욕 등 어머니 보살피는 일들이 끝나면 당신의 일을 한다고 했다.

 다른 계절에는 괜찮은데 농번기, 추수기 때에는 어머니 돌봄을 위해 하던 일을 멈추고 집으로 돌아와 어머니를 돌본 후 다시 나가 농사일을 마무리 지어야 하니 여간 불편한 일이 아닐 수 없다고 했다. 하지만 그래도 내 어머니이니 자식인 내가 해야지 누가 하겠냐며 웃는다. 옆에서 아들의 이야기를 듣던 지역활동가가 다음 이야기를 한다.

"그래서요 농번기, 추수기 때만 5시 30분경 어머니가 집에 오는 시간에 1~2시간 정도만 우리 활동으로 어머님을 돌봐드리면 좋을 거 같아서요. 아드님은 바쁜 농사일을 하다 말고 오지 않아도 되고, 남자 혼자 이렇게 어머님을 돌보면서 집안일에 농사일에 얼마나 힘들겠어요.

"농번기, 추수기라면 몇 월 달, 몇 월달일까요?"

"봄에는 3~4월, 가을에는 10월~11월 사이면 좋을듯해요"

아들은 어머니 돌봄에 대해 도움을 받을 수 있다면 당신이 가장 바쁠 때만 도와줄 수 없는지 당신이 원하는 일정을 정해 주었다. 이런저런 이야기를 나누고 다른 운영진들과 논의하여 활동 가능 여부를 알려드리겠다고 말씀드리고 자리에서 일어섰다.

현장실사를 다녀온 다음 날 부서담당자와 임 팀장, 운영진이 함께 모여 노모와 아들이 현재 처한 상황에 관해 설명하고, 우리가 도와줄 방법이 무엇인지 논의하는 자리를 갖는다. 사회복지 서비스에는 취약계층이거나 여러 제한이 많아 이 모자에게 주어지는 혜택은 대부분 적용되지 않았다. 오랜 논의 끝에 농번기, 추수기 때 필요한 시간 만큼만 20회를 사용할 수 있도록 하자는 의견으로 일단락 합의가 되었다. 그러면 활동은 누가 할 것인가?

지역의 활동가들에게 공지하니 이웃에 사는 활동가가 있었다. 활동가는 어머님이 돌아오는 시간에 맞춰 방문하여 어머님 돌봄을 진행해 주기로 했다. 다음 날 아드님에게 전화하여 우리가 진행해 줄 수 있는 활동을 전달하니 너무나 반가워하며 감사의 표시를 하는데 통화하고 있는 내가 무안할 정도다.

 위 활동은 우리가 진행하고자 하는 취지와는 조금은 다른 사례로 활동 진행에 문제가 있었던 부분이 있었다. 하지만 틈새 돌봄이 필요한 곳에 복지 서비스를 제공해주면 좋겠다는 의견을 받아들여 특별사례로 진행하게 된 돌봄 서비스 활동 특별사례가 되었다. 지역의 사회복지관과 연결하여 부모를 부양하는 자식의 어려움을 조금이나마 덜어 주기 위해 함께 노력했던 사례로 마무리되었다.

6 특별사례 Ⅱ : 노부부

"선생님"

"네"

"긴급하게 도움 요청이 있습니다."

"네. 무슨 일이신데요? 제가 도와드릴 수 있는 일이면 좋겠습니다."

"우리 그 노부부 있잖아요. 몸이 안 좋으시다는 이야기를 들어서 내일 병원에 같이 가기로 했는데 지금 전화가 왔는데 내일까지 기다리기 힘들어서 두 분이 병원을 가셨다네요. 그런데 아마 진료가 원활하지 못한가 봐요. 지금 병원으로 와 줄 수 있냐고 전화가 왔는데 내가 지금 나갈 수가 없어요. 죄송하지만 선생님이 가줄 수 있을까요?"

"병원은 어디인데요?"

활동가의 급한 목소리에 서둘러 준비를 마치고 집을 나서서 활동가가 일러준 당진 종합병원을 향해 갔다. 코로나 19 상황에 병원에 들어갈 수는 있을까 하는 불안한 마음을 가지고 병원 응급실에 도착했다. 나는 사전 안내를 받은 노부부의 성함을 전달하니 간호사가 나와 나를 반갑게 맞아 준다. 그리고 두 노부부의 힘든 사항을 이야기하고 내가 도와주어야 하는 부분들을 안내받아 아버님이 치료를 받을 수 있도록 어머님과 상황을 정리했다. 기다리는 동안 어머님 옆에서 함께했다. 진료가 다 끝나고 두 노부부를 차에 태워 집으로 돌아가려고 하니 어머님이 말한다.

"저기 미안한데 집에 가면 밥을 못 먹어서요. 요 앞 식당에서 밥 먹고 가면 안 될까요?"
"왜 안 되겠어요. 맛난 거 드시고 들어가세요. 어디로 가실까요?"
"요 앞에 백숙집 있는데 백숙 먹어요."
"네 그럼 백숙집으로 이동할게요."
백숙집에 도착하고 천천히 식당 안으로 들어갔다.
"백숙 3개 주세요."
"저는 지금 안 먹어도 괜찮은데요 천천히 드시고 나오세요."
"아니고 아니에요. 이렇게 와 준 것도 고마운데 밥이라도 대접해야지요."
식사하기 전 포장 용기를 부탁한 노부부는 양이 많아 다 못 드신다고 반을 덜어 포장 용기에 덜고 남은 음식을 드신다. 나는 두 노부부의 모습을 보면서 뭐라 말할 수 없는 기분을 느꼈다. 천천히 드실 수 있도록 물과 반찬 등을 챙겨 드린 후, 사장님께 포장 용기를 받아와 내 몫으로 주문해 주신 백숙을 담았다.

음식을 다 드신 노부부는 한쪽에 놓아둔 포장 음식을 챙기시며 자리에서 일어나셨다. 나는 얼른 짐을 챙겨 들고 노부부가 이동하시기 편하게 준비를 해드리며 밖으로 나와 의자에 잠시 앉아 있게 하고 차를 가지고 와 안전하게 차에 태운 후 집을 향해 갔다.
주소를 물으니 주소를 잘 모르신단다. 도로명주소로 바뀐 후 이건지 저건지 헷갈린다고 하셨다. 하지만 길은 알고 있으니 길 안내를 해주신다고 했다. 우선 마을까지는 갈 수 있으니 마을 안에 들어가서 설명을 해달라고 부탁드리고 노부부의 집을 향해 출발했다.

노부부의 집은 예전 방식의 파란색 스트레이트 지붕의 집으로 전형적인 농촌 농가였다. 어르신들은 감사의 인사를 하며 식당에서 가지고 온 음식을 냉장고에 넣으셨다. 지금 가지고 온 음식이면 서너 끼는 드실 수 있단다. 나이를 먹으니 밥하기도 반찬 하기도 힘들어 식당에서 밥을 먹으며 식당 사장님한테 부탁해 이렇게 음식을 포장해서 끼니를 해결하는 경우가 종종 있으시단다. 이런저런 이야길 나누고 잘 지내시라는 인사를 남기고 되돌아 나오는 나의 발걸음은 너무나 무거웠다.

이 노부부 사연은 지역활동가가 처음부터 내가 사는 지역에 이런 노부부가 있으니 도움을 주었으면 좋겠다는 제안을 하여 특별사례로 진행하고 있었던 노부부였다. 이 두 분에게는 자식이 없다. 먼 친척만 있었으며 어머님은 글을 몰라 버스 타기가 어려워 시내를 거의 나가지 않으신다고 했다. 아버님이 가정생활을 주도하여 살아왔는데 당뇨와 여러 합병증이 오면서 거동이 불편해지고 병원에 다녀야 하는 상황이 발생 되면서 많은 어려움을 겪고 있는 상태라고 했다.

지역 사회복지과에 도움을 받고 싶으나 어머님이 극구 반대를 하셔서 그 또한 어려운 상황이라 이웃이 도움을 주고 있으나 그것도 어쩌다 한두 번이지 지속적인 도움을 드리기에는 어려운 형편이라고 했다.

또 보건소에서 이동 진료를 해주고 있지만, 당뇨 등 여러 합병증으로 인해 꾸준한 검사와 치료가 필요로 하는 상황이라 종합병원에 정기적인 방문을 해야 한다고 했다. 그래서 활동가가 병원 정기 검사나 정말 긴급하게 일이 발생할 경우, 활동을 해주고 있었는데 오늘은 활동가 일정으로 활동이 불가하여 나에게 전화를 하게 됐고 긴급한 상황을 정리할 수 있었다.

말로 들었을 때는 그런가보다 아무런 감흥이 없었는데, 현장에서 여러 가지 상황을 내 눈으로 보고 겪어보니 내 마음의 충격은 더 컸다.

돌아오는 길에 활동가에게 전화를 걸어 상황을 설명하고 집에 안전하게 잘 모셔다드리고 돌아가는 길이라고 안내를 하니 감사 인사를 전한다. 나는 되려 지금까지 이런 어려운 일을 하고 계셨던 활동가에게 감사 인사를 전했다. 다음에 만나 맛난 밥 먹자는 이야기를 끝으로 전화를 끊고 집으로 돌아온 나는 저 노부부가 사시는 동안 행복하게 살아갈 수 있기를 기원했다.

7 2년 차 활동이 시작되다

2021년 5천만 원의 금액으로 50여 명이 6개 지역을 시범적으로 시작된 애니맘 사업을 토대로 2022년 1년 동안 1억 원으로 사업예산을 편성하여 애니 맘 활동계획을 세웠다.

활동비는 7천5백만 원, 나머지 2천5백만 원은 운영비로 사용하기로 한다. 2022년도에는 관내 14개 읍면동 모든 지역이 활동 대상이다. 그러자면 애니 맘 활동가 구성원을 더 많이 확충해야 했다.

3월부터 활동을 시작한다고 생각했을 때 1.2월달에는 활동할 수 있는 사람들을 구성해 놓아야 활동을 진행할 수 있다. 어떤 방법으로 애니맘 활동가를 만들어가야 하는지에 대한 고민이 시작됐다. 함께하는 구성원들과 잦은 회의를 진행했으며 활동가를 모집하는 방법을 모색하는 데 노력했다.

14개 읍면동 278리의 이장 단과 부녀회, 지역 활동단체들을 통해 활동할 만 사람을 소개받았다. 전화로 사업의 취지를 안내하고 만남의 시간과 장소를 정해 관내 전 지역을 돌아다니기 시작했다. 당진에서 생활한 지도 어느덧 20년이 훌쩍 넘었지만, 길치였던 나는 낯설기만 한 관내의 지역 여기저기를 내비게이션 안내에 따라 매일매일 사람들을 만나러 다녔다.

"애니맘은 지역의 여성들을 대상으로 긴급한 도움이 필요한 사람에게 지역의 활동가가 도움을 주어, 어려운 상황을 이겨내게 해주고 그런 활동을 통해서 활동가분은 수익을 창출할 수 있는 활동입니다. 물론 어떤 일이 나에게 주어질지는 상황에 따라 달라질 수가 있어 봉사의 마음이 없으면 할 수 없는 일이긴 합니다. 활동비를 주지 않아도 우리 여성분들이 현재도 지역의 어려운 주민을 도와주고 계시고 있다는 것을 압니다. 여성들이 지역의 힘들고 어려운 이웃을 돕는 활동을 언제까지 희생과 봉사 정신으로 도와주어야 할까요? 희생과 봉사의 마음으로 하는 활동도 있겠지만 활동비가 주어지게 하여, 사회경제 활동에 참여할 수 있게 하면서 소득이 창출될 수 있다면 얼마나 좋겠습니까? 많은 소득은 아닐지라도 남는 시간을 활용하여 지역의 긴급한 도움이 필요한 사람들을 돕고 활동비도 받으실 수 있도록 함께 활동해 주세요."

만나는 사람마다 같은 말을 하면서 다닌 지도 한 달여 남짓, 지역마다 협조해주는 사람들이 있어 활동가 숫자는 90여 명 정도가 형성되었다. 하지만 세 개 지역의 활동가가 형성이 안 되어 우린 형성이 안 된 지역의 여러 단체와 지역활동가를 통해 활동가를 찾는 만남은 지속 되었다.

해가 바뀌면서 애니맘을 운영하는 담당 부서의 행정 조직이동이 있었다. 기존 담당자가 다른 부서로 인사 발령이 나고, 새로운 담당자가 왔다. 임원정규 TF팀장은 그대로 자리를 지켰고, 새로 온 행정 담당자와 올해 진행될 사업 방향에 대해 회의를 진행했다. 전년도에 시범운영을 하면서 시행착오가 발생했던 부분의 개선 방안을 논의하며, 잘된 부분은 좀 더 활성화할 수 있는 논의가 이어졌다.

그런데 문제가 생겼다. 3월에 예정된 대선 선거와 6월 1일로 예정된 지방선거로 인해, 보조금 사업 및 공모사업들이 6월 1일 이후에 진행되어야 한다는 것이다. 3월부터 진행하려 했던 애니맘 활동을 진행하는 데 있어 변수가 발생한 것이다. 선거로 인해 사람들이 모이는 회의나 그 외에 대내외 활동이 모두 제한되어 민간단체뿐 아니라 관공서 직접 사업도 크든 작든 진행할 수 없는 상황이 되었다.

여러 사람이 모여서 회의를 진행하는 것도 선거법에 걸려 회의 자체를 할 수가 없단다. 사람들의 눈을 피해 삼삼오오 모여 진행했던 회의는 어떻게 알았는지 바로 선거관리위원회에서 경고장을 받았다. 참 난감한 상황에 놓이게 된 우리는 모든 활동을 6월로 미루

기로 했다.

 새로운 조직 구성원으로 만들어진 애니맘 운영진은 각자 자신들이 해야 할 일을 분배받아 자기가 맡은 작업을 하나하나 체계 있게 준비해 갔다. 활동하면서 사용될 활동가들의 애니맘증을 만들고, 활동가 교육을 위한 프로그램과 강사 섭외 그리고 교육 책자를 만들었다. 활동가들의 소통공간인 카카오톡 전체대화방을 만들어 서로서로 인사하고 서로를 알아갈 수 있도록 소통의 공간을 제공했다.

 정보를 공유하고, 의문점을 해결해 주며 앞으로 진행될 과정을 안내하는 등 우리가 해야 하는 것들을 하나하나 준비하여 활동이 시작되면 문제가 발생하지 않도록 만반의 준비를 해갔다. 3월 중순 무렵 전화벨이 울린다. 나는 얼른 수화기를 들어 전화를 받는다.

 "여보세요."
 "언니, 애니맘 활동은 선거와 상관없이 진행해도 된다는데 진행할까요.?"
 "왜, 안된다면서요. 선거 끝나고 진행해야 한다면서요."
 "원래는 선거 끝나야 공모사업을 진행할 수 있다고 했는데, 애니맘 예산이 확정되어 있고 활동이 필요한 곳에서 언제부터 진행하느냐는 문의도 많고 해서 애니맘 활동을 진행하라고 하네요. 빨리 진행하면 안 될까요?"

"뭐 준비는 대략 거의 다 되어 있는 상황이니까 발대식하고 교육 진행 후 활동 시작하면 되긴 해요."

"그럼 우리 바로 진행 시작하죠"

"관에서 괜찮다고 하면 우린 상관없어요. 다 준비되어 있으니까 시작해요."

그렇게 우린 사회복지 정책의 범주 외에 틈새 돌봄이 필요한 여성들에게 도움을 제공하고, 지역의 여성 일거리와 연계하는 홈케어 서비스 애니맘 활동 2년 차 발대식을 2022년 3월 25일 2시에 진행했다.

발대식에 이어 활동에 필요한 교육프로그램을 삼 일에 걸쳐 진행했다. 애니맘 신청서 작성 시에 교육 일정에 대해 안내를 했고 꼭 참여해야 한다고 강조했다. 교육프로그램 내용은 전년도 활동을 통해 필요하다고 느꼈던 주민신청자 응대에 필요한 고객 만족 서비스 기본교육, 우리의 안전을 위한 안전 예방 교육 및 양성평등 교육, 노인. 아동 심리교육 및 놀이교육과 보고서 작성 및 SNS 활용 방법에 관한 교육을 진행 후 본격적인 활동을 시작하기로 했다.

삼 일간 진행하기로 한 교육 일정에 문제가 발생했다. 활동을 하기로 한 활동가도 교육을 진행해야 할 진행자도 일부 구성원이 코로나 19에 감염이 되어 교육을 진행하는데에도 참석하는데에도 불편한 상황이 된 것이다. 교육 진행을 위해 장소를 예약하고 시간을 조율했으나 정해진 일정대로 진행하기가 힘들었다. 이런 상황에 교육을 어떤 방식으로 진행해야 하는지 방안을 세워야 했다.

코로나 19, 2년 차

현 삶을 살아가고 있는 우리는 이런 위험한 환경에 처했을 때 다양한 대처 방법을 만들어 왔다. 그중 한 가지가 다양한 분야에서 온라인을 활용한 삶이 많아져 디지털화된 삶을 추구하였다는 것이다. 한 곳에 많은 사람이 모일 수 없으니 ZOOM이란 것을 활용 한 회의를 진행하고 교육하는 방법이 생겨났다. ZOOM은 회의나 교육의 새로운 장을 만들었고 위 온라인 프로그램은 우리 생활에 일상이 되어 갔다.

그래서 우리도 ZOOM을 활용한 교육을 진행해보기로 했다. 현장 교육이 가능한 사람들에게는 현장에서 교육을, 코로나 19에 감염된 나를 포함한 활동가들은 온라인을 통해 교육에 참여하기로 했다.

교육 첫째 날

우린 다른 단체에서 진행했던 ZOOM 교육에 얼마나 많은 장비가 동원되어 진행했고 사전 준비가 필요로 했는지 실감하지 않을 수 없었다. 아무런 장비 없이 노트북과 마이크만 가지고 온라인과 현장 두 곳을 이원화하여 교육을 진행해보겠다고 생각한 우리가 얼마나 어리석었는지 교육을 시작하면서 바로 실감했기 때문이다.

노트북 하나와 마이크만 가지고는 온라인 교육에 참여한 사람들에게 강사 목소리가 제대로 전달되지 않는다는 것을 교육이 시작되고 얼마 되지 않아 파악했다. 현장에서 교육 진행을 담당했던 운영진들은 동분서주 바쁘게 움직였다. 코로나 19에 감염되어 온라인 교육에 참여하고 있던 나는 교육에 참여한 활동가들에게 사과의 말을 전달하고 교육현장 운영진과 통화하며 원활한 교육이 진행될 방법을 찾기 위한 노력을 했다. 하지만 부족한 장비로는 쉬운 일이 아니었음을 깨닫고 상황설명을 하면서 양해를 구했다.

온라인 교육에 참여했던 20여 명의 활동가에게 현장의 상황이 원활해지기를 기다리라고만 하기에는 너무나 미안했다. 온라인 교육을 참여하고 있는 활동가에게 2021년도에 있었던 다양한 사례 이야기를 들려주며 현장 상황에 맞는 대처 방법들에 대해 서로서로 이야기를 나누는 시간을 갖고, 우리가 대처 가능한 방법에는 어떤 방법이 있을 수 있을까에 대한 의견 나눔 하는 시간을 가졌다.

첫날의 교육은 혼돈과 착오를 남기고 끝났다. 현장에서 교육을 진행했던 진행자들과 논의 후 온라인 팀은 온라인 내에서 교육자료집과 전년도 사례를 가지고 현장팀과 분리해서 교육을 진행하기로 했다.
이튿날부터 두 팀으로 분리된 활동가 교육은 첫날과는 다르게 안

정적으로 진행되었다. 온라인 팀의 활동가분들의 만족도는 지금도 미지수다. 하지만, 다양한 사례의 상황에서 나라면 어떻게 상황을 풀어갈 것인지 서로의 의견을 들으며 고민하는 시간은 서로에게 좋은 고민을 하게 해주었던 시간이 되었을 것으로 생각한다.

그렇게 3일간 교육은 끝이 나고 교육을 참여하지 못한 활동가들을 대상으로 각 지역으로 찾아가는 교육을 진행하면서 애니맘 활동신청을 받기 시작했다. 지역 신문에서는 발대식 및 교육프로그램 진행한 사진 자료를 활용해 홍보의 글과 사업 설명의 글을 기재해 주었다.

2022년 애니맘 활동가들 파이팅~.

8 무거운 짐 들어 드려 유

당진 재래시장은 오일장이 서는 전통시장이다. 오일장이 서면 다른 지역에서 다양한 먹거리와 농. 수산 물품 등을 가지고 들어와 볼거리도 있어 구경도 할 겸 외곽의 지역민이 장을 보러 많이들 나온다. 특히 장 끝에 즘에 가면 말하는 앵무새가 있는데 그 말하는 앵무새의 인기는 아주 좋았다. 나도 가끔 장을 보러 간 길에 신기한 눈으로 쳐다보곤 한다. 사람이 말하는 것처럼 말하는 앵무새를 보면 볼 때마다 신기하다.

어르신들은 오전 일찍 시장 구경을 하고 집으로 돌아가는 길 양손에는 무슨 장을 그리 많이도 보셨는지 수레를 끌고 가는 분도 계시고, 등에 메고 양손에 무거운 짐을 들고 가시는 어르신이 많다. 시골의 버스 시간은 도시처럼 자주 있지 않다. 그러다 보니 마을로 가는 차 한 대를 놓치면 한 시간 이상 기다려야 하는 일도 있다. 구경도 하고 장을 본 어르신들은 돌아가는 걸음을 재촉하지만, 짐이 무거워 몇 발자국 못가 앉아서 잠깐 쉬기를 반복하시며 버스 정거장까지 간다.

당진 재래시장에는 '귀락당'이라는 3대째 이어 온 칼국수와 만두, 찐빵을 파는 곳이 있다. 귀락당에는 항상 대기 줄이 길게 늘어 서 있으며, 같은 일행이 아니더라도 자리가 비면 다른 일행들과 합석을 해 식사를 해도 아무렇지 않게 서로 양해를 해준다. 우리도 이 곳을 종종 찾는다.

4월 어느 날, 칼국수를 먹고 싶다는 임 팀장을 따라 귀락당을 방문했다. 칼국수와 음식을 시키고 기다리는 동안 임 팀장이 이야기를 이어 간다.

"교통과에서 어르신들의 안전을 위해 장날 활동을 해달라고 하네요. 그리고 다른 지역에서도 이런 활동을 하는 곳이 있어요. TV에서 본 것 같은데 우리도 하면 좋지 않을까요?"

"하면 좋죠. 그런데 오일장마다 활동을 진행하면 이쪽으로 너무 큰 비용이 발생 되는데 괜찮을까요. 민원 발생하는 거 아니에요?"

"4월부터 6월 정도까지만 애니맘에서 진행을 하고 다음부터는 다른 여성단체에서 보조금 사업으로 진행하게 하면 좋을듯해요. 그 부분은 내가 진행해볼게요."

"네 알겠습니다. 그럼 준비해서 장날 활동할 수 있도록 준비할게요. 이름은 뭐라고 하면 좋을까요?”

“글쎄요. 충청도 말로 ‘무거운 짐 들어 드려유’ 하면 어때요.”

“좋아요. 활동할 때 어깨에 두를 수 있도록 어깨띠도 준비해주면 좋고요.”

“네 전달해서 활동 전에 제작해서 드릴 수 있도록 할게요. 다른 준비할 물건은 없을까요?”

“우선 생각나는 대로 준비해서 진행해보고 부족한 부분 있으면 말씀드릴게요.”

“언제부터 활동할 수 있을 거 같아요?”

“돌아오는 장부터 바로 시작하죠. 뭐. 준비할 게 많지는 않을 듯하니까요.”

“네 그럼 수고 부탁해요.”

이렇게 또 하나의 애니맘 사업 일거리를 만들어가기 위한 준비 작업이 시작되었다. 짐을 실어 나르기 위해서는 카트가 필요했다. 활동가들에게 집에서 사용하지 않는 카트가 있으면 기부해달라는 공지를 올렸다. 나도 가지고 있는 카트가 있어 한 개는 준비 완료였다. 다른 몇몇 활동가가 기부를 해주어 3개의 카트가 준비되었다. 카트 앞에 붙일 홍보 스티커를 출력하여 코팅하여 제작하고, 장날 활동할 수 있는 활동가 신청자도 받았다.

시간은 오전 10시부터 오후 13시까지 3시간 활동이며, 3~4명이 활동을 진행할 수 있도록 조직을 만들었다. 어르신들의 짐을 실어 나르는 위치는 어디가 좋은지 상인들의 도움을 받아 위치를 정하고 카트를 일렬로 세우고, 어깨띠를 맨 우리는 무거운 짐을 들고나오시는 어르신들의 짐을 카트에 실었다. 우리 걸음으로 5분 정도 걸리는 새마을 금고 앞 버스 정거장, 반대편 농협 앞 버스 정거장, 성모병원 옆 버스 정거장까지 장을 본 어르신들의 짐을 들어 날라 드리는 활동을 시작했다.

 드디어 첫 '무거운 짐 들어 드려 유' 활동 개시
 활동가 3분과 현장을 지원하기 위해 4월 5일 장날에 맞추어 시장으로 갔다. 상인들의 도움을 받아 상인회 상가 건물 앞 공연장 쪽에 자리를 잡고 카트를 펼친 우리, 하지만 잠시 후 우린 그 자리에서 내쫓김을 당했다. 카트와 활동하는 우리로 인해 걸어 다니는 사람이 양 갈래로 갈라져 상인들의 영업에 방해가 된 것이다. 또 우리가 위치한 자리가 너무 안쪽에 있다 보니 우리가 보이지 않기도 했다.

"아 죄송합니다. 그럼 어느 위치에서 저희가 활동하면 좋을까요?"
"시장 입구 쪽에서 하면 괜찮을 거 같네요. 누구나 장을 보고 돌아가는 길에는 그쪽이 가장 큰 출구잖아요. 그리 가봐요."
"네 감사합니다."
 상인들의 말이 합리적이라고 판단되어 우린 카트와 다른 도구들을 들고 시장 입구 쪽으로 자리를 옮겼다. 그런데 시장 입구 쪽에서는 차량을 가지고, 상업하는 분들의 반대 목소리가 드높았다. 그들의 자리를 우리가 점령했으니 그분들이 뭐라 할 수밖에 없었다.

"어디로 가야 우리가 상인들을 방해하지 않고 활동할 수 있을까요?"

"잠시만 기다려 보세요. 내가 가서 위치확인을 다시 하고 올게요."

한참을 상인에게 문의하면서 현장을 둘러본 나는 시장 입구 쪽에서 100m 정도 들어가 교차지점이 있는 장소를 선정하고 다른 활동가들과 카트 등을 가지고 이동했다. 그곳은 공용 주차장 앞쪽으로 이쪽저쪽 나갈 수 있는 교차지점으로 공간이 넓고 상인들의 영업에 방해도 되지 않고 우리의 활동을 할 만한 공간이었다.

카트를 세우고 양손에 무거운 짐을 들고나오는 어르신들을 쉽게 찾아볼 수 있었다. 처음에는 낯설어하시던 어르신들이 우리가 하고자 하는 일에 대한 취지를 설명하니 너무나 반가워하신다. 첫 카트가 짐을 싣고 버스 정거장을 향해 출발, 곧이어 두 번째 카트 출발 그렇게 자연스럽게 활동은 시작되었다. 그런데 계속해서 말로 설명을 해야 하니 힘이 들었다.

"나 잠시 내 차에 다녀올게요. 차 안에 매직펜과 전지가 있어요.

말로 설명하기 힘드니 적어서 붙여봐요. 빨리 다녀올게요."

 나는 얼른 차에 가서 종이와 팬을 가지고 와 팬 글씨 잘 쓰시는 활동가에게 부탁하여 간단한 활동의 설명을 적어본다. 그리고 그 종이를 길거리 가드레일로 세워져 있는 곳에 테이프로 붙어 사람들이 볼 수 있도록 했다. 그랬더니 사람들이 한 번씩 쳐다보고는 "좋은 일 하네. 수고해라" 하시며 지나간다. 봉사나 사회활동을 많이 해보지 않았던 나는 지나가는 사람들의 저 응원의 말들에 왠지 모르게 뿌듯하고 힘이 생겼다.

 '무거운 짐 들어 드려 유' 활동 첫날은 참 많은 우여곡절과 사연도 많았지만 주어진 시간 동안 우린 발바닥이 아프도록 버스 정거장까지 오고 갔다. 발바닥은 아팠지만, 마음은 정말 뿌듯했다.

 첫 번째 활동이 끝나고 다음 장날 활동을 위한 준비를 했다. 활동 설명을 적었던 종이를 대체할 수 있는 것은 무엇일까? 다른 사무실에 일하고 있는 직원에게 자문도 해보고 다양한 도구를

머릿속에 떠올리며 저렴하고 편리하게 사용할 수 있는 걸 찾아보
았다. 사무실에 앉아 이야기하며 주의를 둘러보던 나는 우산꽂이에
꽂혀있는 우산을 발견했다. 그리고 우린 하얀 민무늬 우산을 생각
해 냈다. 하얀색 민무늬 우산은 도화지가 되어 우리가 그리고 싶은
것을 우리 마음대로 그릴 수 있으니 이보다 더 좋은 도구가 없다
는 생각이 들었다.

 사무실에 있던 하얀색 민무늬 우산과 내가 가지고 있던 하얀 민
무늬 우산을 가져다가 매직펜을 활용해 사람들이 알아보기 쉽고
예쁘게 글을 쓰고 꾸며서 펼쳐 보았다. 맘에 들었다. 작은 공간에

서 우산 2개를 펼쳐 오고 가는 사람들에게 홍보할 수 있도록 만들어 사전 준비했다.

두 번째 장날에 활동가들과 함께 카트를 끌고 나가 우리의 활동자리에 활동 도구를 비치하고 어르신들의 짐을 부지런히 카트에 싣고 버스 정거장까지 실어 날랐다. 비록 발바닥은 아팠지만 정말 많은 어르신의 짐보따리를 옮겨 드렸다.

상인들은 장을 보러 온 손님들에게 우리를 대신해 홍보해주었고 활동가가 모두 활동하러 나가고 없으면 그늘에 앉아 우리가 올 때까지 기다리는 어르신들도 생겨났다. 그렇게 우리의 활동 영역은 자리를 잡기 시작했다.

"언니 다음 장날에 교통과에서 나온다네요. 장날 활동하고 있다고 얘기했더니 인사도 할 겸 팀장이 나온다고 하더라고요."
"네. 저희가 따로 준비해야 하는 건 없는 거죠?"
"뭘 준비해요. 열심히 활동만 하시면 되죠. 오늘도 수고하셨고 쭉 수고 부탁합니다. 하하하."

임 팀장과 짧은 만남이 있은 다음 장날엔 조금씩 소문이 난 '무거운 짐 들어 드려 유' 활동은 우리가 카트를 끌고 걸어가면 사람들이 말을 걸어왔다.

"오늘도 왔네"

"매번 장날마다 나오는 거야? 하다가 마는 거 아니고?"

등등 당신들이 궁금한 사항들을 질문한다. 그럼 우리는 활동하는 중간중간 답변을 해주며 바쁜 걸음을 걷는다. 활동가가 모두 나가고 아무도 없는데 양손에 무거운 짐을 들고 걸어오셔서는 물어보셨다.

"짐 들어준다며, 버스 정거장까지 가야 하는데 들어다 줄 수 있어?"

"네 들어다 드립니다."

활동가가 모두 짐을 들어드리러 나가고 정상적인 카트가 없어 잠시 망설이던 나는 어르신을 기다리게 하기보다는 부서져 사용하기 조금은 불편한 하나 남은 카트에 어르신의 짐을 싣고 어르신의 걸음 속도에 맞추어 버스 정거장을 향해 걸어갔다. 활동가분들의 활동을 지원하고 홍보하느라 아직 카트를 끌어보지 않았던 나는 카트를 끌면서 불편한 사항과 가는 길에 발생 되는 변수의 상황을 살피면서 버스 정거장에 도착했다. 어르신의 짐을 내려놓고 인사를 한 후 시장 안으로 되돌아가려 할 때 버스 한 대가 도착했다.

아, 나는 버스가 도착하고 내 앞에서 펼쳐지는 모습을 보면서 놀라움을 금치 못했다. 아니 버스가 정거장으로 들어오자마자 버스를 기다리며 앉아 계시던 어르신들은 어디에서 그런 힘이 나는지 갑자기 벌떡 일어나 버스를 향해 짐을 들고 우르르 나가는 것이었다. 그리고 버스가 정차 후 문을 열리기가 무섭게 서로 밀치며 버스를 타기 위한 작은 실랑이가 벌어졌다.

버스를 타기 위해서 어르신들은 당신들이 들고 온 장바구니를 먼저 차위에 올리고 당신들이 뒤따라 올라탔다. 하지만 짐이 무거워 차에 올리지 못하고 버스 계단 앞에서 짐을 들고 끙끙 매는 어르신들도 있었다. 하지만 어느 한 사람도 도와주는 사람이 없었다.

나는 얼른 "잠시만요 잠시만요"를 외치며 사람들 사이를 비집고 들어가 어르신들의 짐을 차 위로 올려 드리기 시작했다. 몇 번 반복되니 힘이 들었다. 무슨 장들을 그리 많이 보셨는지 짐의 무게가 상당했다. 카트에 싣고 끌고 왔기에 짐의 무게를 실감하지 못하였으나 버스 위로 짐을 옮겨보니 상당한 무게임을 깨달았다. 우여곡절 끝에 버스는 출발하고 나는 가쁜 숨을 내쉬며 버스 정거장을 되돌아 나와 재래시장 우리의 거점으로 돌아왔다. 언제 왔는지 교통과 팀장이라는 사람이 인사를 건넨다.

"안녕하세요. 이렇게 활동을 해 주셔서 감사합니다."
"네 안녕하세요. 안 그래도 오신다고 전달은 받았습니다."
"활동하는데 애로사항은 없으신가요? 협조해 드릴 일 있으시면 말씀해 주세요. 저희가 해드릴 수 있는 거라면 해드릴 수 있도록 하겠습니다."

나는 조금 전에 있었던 버스 정거장의 상황을 설명했다. 그러자 교통과 팀장은 말한다.

"사실은 저희가 원했던 활동은 방금 이야기한 버스 정거장에서의 활동이었습니다. 민원이 종종 있어서 말씀드렸던 건데 전달이 잘못 됐나 봐요."
"아 진짜요. 그랬구나. 그런데 장바구니 들어드리는 일도 해보니 필요한 부분이기도 해요. 그리고 제가 조금 전에 버스 정거장에서 본 모습이나, 장바구니를 버스에 올려드려 보니 그쪽 상황에도 사람이 배치되어야 한다는 생각이 듭니다. 그런데 이건 저희 활동가 분들이 하기에는 버거운 일일 것 같아요. 제가 그나마 우리 활동가 님들보다 조금 나이가 젊은 편인데 제가 하기에도 힘들고 게다가 허리 디스크 수술을 한 저 같은 경우, 이 일을 계속하면 제 허리부터 다시 망가질 거 같아요. 저뿐 만이 아니라 여기 활동하는 분 대부분 활동가가 무릎 어깨 등 수술하신 분들도 많거든요.

"아 그런 부분은 생각을 못 했네요. 알겠습니다. 참고해서 더욱 고민해 보겠습니다."

"공익요원이나 남자 자원봉사분들 찾아보면 안 될까요? 공익요원 활용방법을 생각해 보면 좋을듯해요. 남자라도 연세 많으신 어르신들은 안될 것 같아요. 짐이 너무 무거워요."

"네 알아보고 확인해보겠습니다."

"네 저희도 혹시 도움을 줄 수 있는 분들이 있는지 알아보도록 하겠습니다."

교통과 팀장과 만남이 있고 난 뒤 다음 장날이 돌아오기 전 버스 정거장에서 활동해 줄 남자 봉사자를 찾기 시작했다. 자원봉사센터를 비롯해 사회복지를 실현하고 있는 단체 몇몇 군데에 전화를 걸어 도움을 요청했다. 다행히 당진 YMCA에서 사회복지실습을 하는 분이 계시니 당분간 협력해주기로 약속을 해주었다. 얼마나 감사했던지 자동으로 감사하다는 말이 나왔다.

"복 받으실 거예요. 감사합니다."

'무거운 짐 들어 드려 유' 활동은 3개월 동안 지속하였으며 3개월이 지난 다음부터는 다른 일거리 여성단체에서 2022년 사업비 예산으로 진행하기로 하고 배턴터치를 했다.

정말 고생 많으셨습니다. 우리 애니맘 활동가님들. 감사합니다.

9 노인대학 행정보조 업무를 추진하다

"언니, 내 말 좀 들어봐. 우리 관내에 노인대학이 19개 운영되고 있대. 그런데 노인대학을 운영하는데 운영진들이 연세가 많으시고, 서류작성이 전산화가 되어서 서류작업 하기가 힘들대. 그래서 누군가 행정에 필요한 서류작업과 수업 진행을 도와주었으면 한다네. 이 일을 애니맘에서 하면 안 되겠냐고 물어보는데 어떻게 생각해요."

"좋죠. 우리야 시켜만 주면 얼른 해야죠"

"우리가 할 수 있는 인력이 있어요?"

"기존 활동가들에서 형성해 보고 부족하면 추가로 더 모집해서 만들어야죠. 일거리를 준다는데 해야지요. 그런데 비용은 누가 주는 거예요?"

"우선 애니맘 활동비에서 지급하고 다음에 하반기 추경으로 준다네"

"좋네요. 그럼 우린 인력을 준비하면 될까요? 어찌 됐든 전산 작업을 도와주려면 한글이나 엑셀의 기본은 할 수 있는 분들로 형성해야 하고, 보조금 회계 정산을 해 보셨거나, 하실 수 있는 분들로 형성해야 할 것 같은데요."

"그래 그 정도는 하실 수 있어야 도와드릴 수 있을 것 같네요. 여러 변수도 많을 것이고……."

"그렇겠죠. 어떻게 19명 조직을 만들어 봐요?"

이렇게 시작된 19개 노인대학 행정업무 협력을 위한 조직 구성과 구체화 시키는 작업이 시작되었다.

노인대학협회 임원들과 회의가 있으니 참석하라는 연락을 받고, 나는 회의 일정에 늦지 않게 도착하여 인사를 한 후 자리에 앉았다. 여성 일거리 창출에 관심을 가지고 활동하던 최연숙 의원 사무실에서 노인대학 부서담당자와 노인대학협회 임원진이 모여 회의를 진행했다.

코로나 19가 발생한 1~2년 동안 수업을 진행하지 못했던 노인대학 수업을 올 상반기부터 재개하여 수업을 진행하기로 했다고 한다. 6월부터 19개 노인대학 운영을 재개하기 전 운영 방법과 개선해야 할 사항들에 대한 논의를 위한 자리였다. 그 중 애니맘의 노인대학 행정을 돕는 사무보조 도우미를 진행할 것인지 말 것인지가 중요한 안건으로 대두되었다.

"조금 힘들어도 19개 노인대학 학장과 학생들을 위해서 꼭 필요합니다. 그러니 행정 도우미가 와서 활동할 수 있도록 꼭 좀 도와주세요."라고 말씀하시는 노인대학 운영진의 한결같은 한목소리를 들으며 '많이 간절하시구나'라는 생각이 들었다. 경로 장애인과 부서담당자는 노인 대학협회 임원들에게 무거운 목소리로 말했다.

"지금 확실하게 뭐라 말씀드릴 수 없습니다. 하지만 윗분들께 말씀드려 가능하게 할 수 있도록 노력하겠습니다. 지금 답을 드리지 못하는 점 양해해 주세요."

회의는 이렇게 끝났다. 회의가 있고 난 뒤 나는 19개 노인대학의 행정 도우미를 진행할 수 있는 인력을 형성하기 시작했다. 아무런 준비 없이 갑자기 노인대학 행정 도우미 활동을 시작하면서 부랴부랴 준비하기에는 너무 늦을 듯하여 우선 현재 활동하고 있는 활동가 중에 자격증과 경력 사항을 참고하여 행정 도우미로 활동하실만한 분들을 선정하여 한분 한분 통화했다.

컴퓨터 작업을 하고 회계 정산을 하실 수 있는 분을 찾기가 생각보다 어려웠다. 그도 그럴 것이 애니맘 활동가 나이 자체가 대부분 나보다 연배가 높았으며, 나이가 어린 활동가들은 자신들만의 다른 활동을 하고 있었기 때문이다. 다른 활동가들의 추천을 받으며 어찌어찌 19명의 활동가를 형성했다. 되도록 한 노인대학에 한 명의 활동가를 연결하여 많은 사람이 다양한 활동 경험을 해볼 수 있도

록 준비했다. 그러던 어느 날 급한 목소리의 전화 한 통을 받았다

"언니, 언니 우리 노인대학 행정 도우미 진행하는 거 안 될 것 같아요."

"네, 왜? 담당 부서에서 안 된데요?"

나는 임 팀장의 말에 놀라지 않을 수 없었다.

19명의 구성원을 만드느라 얼마나 많은 전화통화를 했는데……

"아니 그것보다도 감사실에 민원이 들어왔데요. 그래서 우리 지금까지 사용한 비용에 대해 모든 자료를 가지고 들어오라네요."

"아니 이건 또 무슨 소리예요? 무슨 민원?"

"나도 잘 모르겠어요. 저희도 감사실 연락만 받았고 어떤 상황인지 아직 파악 전인데 언니들 걱정돼서 얼른 전화했어요."

"그럼 안 되는데. 우선 알겠어요. 어떤 상황인지 파악되면 연락주세요."

다음날 임 팀장에게 전화가 왔다. 사연인즉 이러했다. 노인대학협회는 19개 노인대학 학장님들로 구성되어 있다. 노인대학협회 정기모임에서 행정 도우미를 형성하자 논의가 되어 대표운영진이 최연숙 의원과 방향을 제시해 가는 중에 불만을 품고 있던 학장님 한 분이 반대 의사 표시로 감사실에 민원을 제기했단다. 민원제기를하게 된 경위는 19개 노인대학 학장님께 프로그램 운영 일정 및 개강일을 확인하기 위해 전화했었던 나로 인해 진행 과정을 듣게

되고 이에 대한 불만으로 감사실에 민원제기를 하게 된 것 같다는 것이다.

노인대학 학장님들과 사전회의에 인사를 드리고 진행 과정을 논의하기 위해 한분 한분 통화해 프로그램 진행 여건과 상황을 파악하며 친분을 쌓은 노인대학 협회 회장님께 전화를 드려 이런 상황을 안내하니 협회장님도 난감한 목소리로 안타까움을 표시했다.

"오 단장 조금만 기다려줘요. 운영진하고 논의해서 잘 처리할 수 있도록 해볼게. 미안해요. 우리를 위해서 애쓰는데 이런 일이 생기게 돼서……."
"아니에요. 저는 괜찮은데 어찌 됐든 이런 일이 발생하면 애니맘 담당 부서에서는 문제가 되니 이 부분은 최대한 잘 정리될 수 있도록 빠른 협조 부탁드리겠습니다."

며칠 후 시청 카페에서 노인대학협회 운영진과 애니맘 사업을 진행하는 부서담당자가 함께하는 자리를 마련했다. 서로 난감한 표정과 한편으로는 허탈한 표정으로 서로의 얼굴을 쳐다보며 수습방안에 관해 이야기하기 시작했다.

협회장님은 그동안 노인대학 구성원과 진행해 왔던 과정을 설명하고 이런 상황이 발생하게 된 사유에 관해 이야기를 짧게 설명하셨다. 사연을 전달받은 임 팀장은 민원인 덕분에 학장님들을 뵐 수 있어 고맙다. 민원인에게 감사하게 생각한다. 아무 일 없이 잘 마무리되고 있으니 걱정하지 마시고, 저희가 협조해 드릴 수 있는 일은 협조할 테니 걱정하지 말라는 안도의 말로 자리를 마무리했다.

"언니, 노인대학 행정 도우미 활동은 행정협력을 원하는 곳만 진행하시죠. 19개 모두 하면 좋지만 원치 않는 곳까지 진행하기에는 불편한 사항이 있으니 원하는 곳만 진행하는 거로 해요."

"네 알겠어요. 군이 싫다는데 우리가 들어갈 필요는 없겠죠. 학장님들과 논의해서 원하는 곳에만 활동가들을 배치할 수 있도록 할게요."

"몇 개 정도 될 거 같아요?"

"글쎄요 전에 통화했을 때는 개강을 하반기에 하는 곳도 있고 해서 다시 통화해봐야 알 것 같아요. 다시 정리해서 확정되면 알려드릴게요."

임 팀장과 헤어진 후 온종일 전화 수화기를 붙잡고 학장님과 의견 타진 한 결과 10개의 노인대학이 행정협력을 요청했다. 개강이 늦거나 사연이 있는 노인대학은 추후 학장님이 연락을 주기로 했다. 기존에 만들었던 행정협력 조직 구성원에게 양해를 구하며 행정협력을 원하는 10개의 노인대학과 활동가를 1:1로 연결하여갔다.

　가장 먼저 개강하는 노인대학이 순성 노인대학이었다. 순성 노인대학 행정협력은 내가 진행하기로 했다. 노인대학에서 진행되고 있는 서류 및 필요 상황을 파악하고 있어야 다른 활동가들에게 안내해줄 수 있을 것으로 판단했기 때문이다.

　5월 마지막 주 화요일
　수업은 10시부터 12시까지 2시간 동안 진행되며, 1교시는 인문학 또는 교양, 2교시는 노래 교실을 진행한다고 했다. 나는 9시경 노인대학 교실이 있는 순성농협 2층으로 올라가 사전에 안내받은 사항대로 학습 준비를 하고 영상 송출을 위한 빔과 노트북을 연결하는 등 2시간의 시간이 어떻게 흘러갔는지도 모르게 끝이 났다.

노인대학 수업 당일 교실에 도착하면 첫 번째로 교실 안의 책상과 의자 정리를 한다. 두 번째로 빔과 노트북을 연결하여 강의 영상이 송출될 수 있도록 설치한다. 세 번째로 학생들의 출석 체크를 하고 수업이 시작될 수 있도록 강사를 돕는다. 수업이 진행되면 정산 시 필요한 서류작업을 노트북을 활용해 작성한다. 틈틈이 어르신들이 필요로 하는 종이컵심부름 등 학생들이 원하는 것을 해드리며, 2교시 노래 수업에서는 노래 신청곡을 받아 노래 강사에게 전달하고 강사님을 도와 원활한 수업이 진행될 수 있도록 협력한다. 수업이 끝나기 전 간식을 드릴 수 있도록 분배하고 집으로 돌아가는 학생들에게 간식을 배부한다. 간식을 받기 위해 한 줄로 걸어 나오는 어른 학생을 뵈면 왠지 모를 미소가 지어졌다.

다른 노인대학에 들어갈 활동가들에게 행정 도우미가 어떤 활동을 해야 하는지 전체 공지로 안내하고 문의 사항에 답변을 해주는 등 내가 알고 있는 정보나 시스템에 대해 공유하면서 2022년 노인대학 행정협력 사업은 우리의 일거리가 되어 각각의 노인대학 일정에 참여하여 다음 연도에는 모든 노인대학이 대상이 되기를 바라며 보람된 일정을 소화했다.

노인대학 학생 여러분 응원합니다.
항상 건강하시고 즐거운 하루하루 보내세요. 사랑합니다.

10 세부규칙을 만들자

4월부터 시작된 2년 차 애니맘 활동

상담 전화벨 소리는 시간과 장소를 가리지 않고 계속 울렸다. 21년도 시범운영과 언론 홍보도 진행되어서인지 상담 문의가 많다. 젊은 워킹맘들은 우리의 활동시간이나 횟수 등도 정확히 파악하고 질문을 해 내가 당황하는 순간도 있었다. 그러던 어느 날 운영진과 회의를 하는 도중 전화벨이 울렸다. 얼른 양해를 구하고 밖으로 나와 전화를 받는다.

"여보세요."

"애니맘이죠?"

"네 어떤 도움이 필요하실까요?"

"아 저는 아이셋을 키우며 강사로 일하는 사람인데요. 직장을 다니며 애들 셋을 키우는데 너무 힘들어서요. 애니맘 신청이 가능할까요? 청소와 음식 서비스 활동을 받고 싶은데요."

"다자녀이고 일을 하고 계셔서 가능은 할 것 같지만, 이런 상황의 신청이 처음이라 저 혼자 가능 여부를 지금 말씀드리기가 어렵습니다. 논의 후에 다시 연락드릴 수 있도록 하겠습니다."

전화를 끊고 회의 장소로 돌아갔다. 조금 전 통화한 내용을 설명하고 활동 가능 여부를 논의했다. 한참의 논의 끝에 활동을 진행해 주기로 했다. 아이를 키우는 일이 얼마나 힘든지 아는 여성들이기에 게다가 세 명을 직장을 다니며 키우는 워킹맘의 마음을 이해하기에 활동을 진행해 주자는 의견에 많은 표를 받았다. 그렇게 다자녀 워킹맘에게 처음 제공하는 음식 서비스 활동이 진행되었다.

신청자의 집에서 주어진 재료로 음식을 만들어 주는 활동으로 초등학교 급식 조리사로 일하셨던 활동가가 계셔서 본인의 의향에 따라 연결을 하고 처음으로 하는 활동이니 잘 부탁드린다는 이야기와 함께 전화를 끊었다. 며칠이 지나 다자녀 워킹맘 음식 서비스 활동을 하기로 한 활동가에게 전화가 왔다.

"여보세요. 안녕하세요 선생님 잘 지내시죠?"
"네. 오늘 음식 서비스 활동하고 왔어요. 그래서 전화했네요."
"아 그러셨구나. 어떻게 잘 끝나셨어요?"
"네 잘 끝났어요. 그런데 다음엔 나 이 활동 하지 않을래요."

“왜 무슨 일 있으셨어요?”

“그런 건 아닌데 기분이 조금 그렇더라고요. 그래서요.”

“왜 무슨 일이 있었는데요. 말씀을 해주셔야 다른 활동가분들에게도 전달하고 대책을 세우죠. 말씀해 주시면 안 될까요?”

“아니 별건 아닌데 내가 그 집 식모살이하러 간 게 아닌데 왠지 그런 기분이 들더라고요. 그래서요.

“아 그러셨구나, 어떤 부분이 그랬는지 말씀해 주시면 저희가 다른 분 상담할 때 신청자분에게 잘 말씀드릴 수 있을 것 같습니다. 죄송하지만 상황설명 조금만 부탁드려요.”

“현장에 도착하니 재료 몇 가지를 내주더라고요. 그러더니 무 한 개로 생채 김치와 무조림, 호박 한 개로 호박 조림, 호박전 등 여러 개의 음식을 만들어 달라고 하더니 내가 낸 세금으로 활동비를 받으면서 활동하는 거니 당당하게 활동 요청을 할 수 있다는 둥 다음에는 청소를 해줬으면 좋겠다는 등 하더라고요. 나도 세금 내는 시민인데 왠지 기분이 좋지는 않더라고요. 그래서요.”

“아 그랬구나, 죄송해요. 같은 말이라도 어떻게 표현하느냐에 따라 다른데 상처 많이 받으셨을 거 같아요. 죄송합니다. 그런 이야기까지 듣게 해서 정말 죄송합니다.”

“아니요 그렇다고 단장님이 사과할 일은 아니고요. 하여튼 다음에 저는 빼주세요.”

“네 알겠습니다. 정말 죄송하고 감사합니다.”

전화를 끊고 임 팀장에게 전화 걸어 이런저런 상황을 설명했다. 어떤 대책을 세워야 하나? 나 자신에게 문의하며 고민했다.

일주일 정도 시간이 흐르고 같은 워킹맘에게 전화가 왔다. 이번엔 집 청소를 해달라고 한다. 나와 운영진 2명이 들어가 주방과 청소가 필요한 이곳저곳을 1시간 이상 청소를 진행했다. 청소를 진행하면서 앞 전 활동에 관한 이야기를 주고받으며 애니맘 사업에 대한 취지를 설명해 주며 봉사 정신이 없으면 이런 활동을 할 수 없음을 안내하며 되도록 긴급하게 도움이 필요한 경우 신청해주기를 당부하며 나왔다.

다음 날 아는 지인에게 소개를 받았다며 코로나 19 예방 접종을 했는데 어깨가 아프고 힘들어 아이를 돌볼 수 없으니 음식 서비스를 해달라는 신청 전화를 받았다. 하지만 상담하면서 이번 활동은 활동 불가로 판단되어 안 된다고 전화를 끊었다. 그리고 다음 날 아침 8시부터 9시 1시간 동안 전화와 문자가 20여 통 이상의 활동 문의가 왔다.
그런데 거의 모든 내용이 코로나 예방 접종 또는 단순한 사항으로 애니맘 활동을 요청한다는 전화였다. 처음 거절하는데 죄송한 마음으로 거절하던 나는 어느 순간 거절 대처 답변으로 "긴급한 상황이어야 하는데 긴급한 상황이란 팔. 다리를 다쳐서 거동이 어려운 경우 음식 또는 청소를 해드릴 수 있습니다."라고 답을 하자

"아~ 그럼 저는 안 되겠네요. 알겠습니다."하고 전화를 끊었다. 왠지 모를 허탈함을 느낀다. 누구를 위한 활동을 해야 하는 건지 참……. 선한 마음으로 시작한 일이 생각했던 의도와는 다르게 흘러가는 것 같았다.

추후 다른 활동가를 통해 들으니 한 맘 카페에 애니맘 활동에 관한 소개 글이 올라와 있었단다. 그 소개 글을 보고 애니맘 활동신청을 하기 위해 전화와 문자 폭탄을 받게 되었던 것 같다.

"언니, 너무 속상해하지 말아요. 이런 사람 저런 사람이 있는 거예요. 서비스 한번 받아보고 싶었나보다 생각하자고요."
"네 속상하기보단 규칙을 만들어야 할 것 같아요. 지금까지 우리가 너무 큰 테두리 안에서 상담하다 보니 이런 일이 생긴 듯해요. 조금 구체적인 규칙을 만들어서 신청자들에게 제시해야 할 것 같아요. 긴급한 경우 예시를 만들죠. 저분들 덕분에 규칙을 만들어야 한다는 생각도 하고 감사하게 생각합니다."

그렇게 우리는 긴급한 경우가 어떤 경우에 속하는지 긴급의 경우를 생각하면서 다섯 가지 활동에 기본규칙을 조금 더 세세하게 만들어가기 시작했다. 그리고 그 내용을 서류화하여 다른 활동가들에게도 공지하고 상담 시 참고하여 상담할 수 있도록 했다. 짧지만 많은 사연을 남긴 워킹맘 음식 서비스 활동은 그렇게 우리의 기억에 남게 되었다.

맘고생 많았던 모든 애니맘 활동가들 파이팅!

11 3년차에 찾아온 위기

 시범적으로 시작한 사업은 어느덧 횟수로 3년 차 사업이 되었다. 3년을 진행해 오는 동안 담당 부서 관리자는 3명을 걸쳐갔다, 활동 가는 50여 명에서 100여 명의 인원이 활동하고 있었고 많은 지역 주민이 혜택을 받았다.

 여성 친화 도시 조성을 위해 당진으로 이주해와 애니맘 활동을 준비하고 만들어 왔던 임 팀장의 기간제 계약이 2022년 12월로 완료된다고 했다. 재계약을 해야 하는데 지금의 상황에서는 재계약 이 어렵단다. 배는 띄워졌고 사공들이 노를 저어가고 있는데 선장 이 없어지는 격이니 걱정이 이만저만이 아니었다. 활동가들과 함께 이 난국을 풀어보기 위해 여러모로 노력했지만 결국 임 팀장은 자 신의 새로운 삶의 터전을 찾아 떠나가야만 했다.

임 팀장이 당진을 떠나 이사 가는 날 아침, 그동안 함께했던 임 팀장을 배웅하기 위해 그녀의 집을 찾아갔다. 한창 이삿짐을 싸고 있던 그녀는 나를 확인하고는 대충 짐을 정리하고 나온다. 시간이 되면 식사라도 할까요? 하고 질문을 하니 이삿짐센터에서 나온 사람들도 있고 하니 밥은 다음 기회에 먹자고 한다. 그리고 말한다.

"지금 이렇게 이사는 가지만 그동안의 인연으로 알게 된 사람들 보기 위해 종종 놀러 올게요. 남은 일 잘 진행해 주세요."

임 팀장이 당진을 떠나고 선장을 잃은 운영진은 현 부서 관리자와 3년 차 사업을 진행하기 위해 준비를 시작했다. 전년도와 비슷한 방식으로 사업을 진행할 것이라고 했다. 전년도 활동이 부진했던 지역에 활동가를 보강하고 잘 형성된 지역에는 응원을 해주며 3년 차 활동을 준비했다.

행정 조직의 변경으로 인해 새로운 사람들과 인사를 하고, 활동 검토를 받으며 현 진행되고 있는 방식에 오류가 발생한 몇 가지 부분에 대안을 찾기 위해 노력했고 대안 방법을 만들어갔다. 활동 전 교육을 통해 활동가에게 변화된 내용을 안내했는데, 그중 가장 큰 변화는 타임 스태프를 적용한다는 것이었다.

타임 스태프는 전년도 활동을 통해 문제점으로 제기된 활동시간

인정을 위한 보완 방식이었다. 상담을 진행한 후 지역 대화방에서 활동가가 정해지고 활동을 진행한 후 보고서를 작성하여 올려주는 방식이다 보니, 사진 자료로만 활동내용을 파악해야 하는 상황에 타인의 눈으로 보기에는 의심의 눈초리가 있었다. '정말로 그 시간 동안 활동한 거 맞아?'라는 의심의 눈초리였다. 그래서 요양보호사나 강사들이 활동 인정하는 방식으로 타임 스태프를 적용한다는 이야기를 듣고 전년도 하반기부터 시범적으로 타임 스태프를 적용할 수 있도록 안내했다.

타임 스태프는 사진을 찍을 때 사진에 사진 찍는 시간이 나타나게 해주는 것으로 처음 활동 장소에 도착하여 사진을 찍고, 중간에 한 장 더 찍은 후, 끝날 때 마지막 사진을 찍어 활동 진행한 시간을 누가 봐도 확인할 수 있도록 하는 방식이었다.

활동가들의 민원은 많았다. 그도 그럴 것이 셀카 사진 찍는 것도 어려운데 애플리케이션을 활용한 사진찍기는 교육을 진행해보니 우리 활동가분들이 진행하기에 많은 번거로움이 있다는 것을 확인했기 때문이다. 하지만 어쩔 수 없는 일이었다. 많은 연습을 통해 타임 스태프 어플리케이션을 활용하여 사진을 찍을 수 있도록 양해를 구했다. 그리고 운영진에서는 만약 타임 스태프 적용이 안 된 활동사진의 활동은 인정하지 않겠다고 공지하고 이 부분을 계속해서 안내했다.

3월부터 도입된 타임 스태프 적용 사진 찍기는 많은 사연을 만들어 냈다.

분명히 애플리케이션으로 사진을 찍었는데 사진이 없어졌다고 전화하는 활동가

활동 장소에 도착해서 사진을 찍었어야 했는데 깜빡하고 사진을 찍지 않았다는 활동가

활동 끝나고 사진을 안 찍었다는 활동가

사진 찍는 방법을 모르겠다는 활동가

등등 지금 생각해도 3월 한 달은 정신없는 한 달이었다.

적응하면 좋아지리라 생각하면서 흘러간 3월 한 달. 활동 진행을 하던 운영진과 전산팀은 녹초가 되어갔다. 자료가 잘못 올라와 수정하고 또 수정하고, 전화 수화기를 몇 분씩 붙잡고 설명하고 또 설명하고, 말로서 도저히 설명이 안 될 때는 찾아가 설명하면서 타임 스태프 적용이 안정화 될 수 있도록 노력했다.

힘든 3월이 지나가고 4월

그래도 3월보다는 훨씬 쉽게 활동은 진행됐다. 다행히도 3월과 4월에는 활동이 많지 않아 다행이었다. 활동이 적었기에 다행이지 활동이 많았다면 아마 우린 타임스탬프 적용을 포기하고 말았을지도 모른다.

5월이 되면서 본격적인 활동이 시작되었다.

무더운 여름이 지나고 가을로 접어들면서 모든 활동가가 현장 여기저기를 다니며 활동하고 다녔고 활동 마무리를 위해서 다 같이 열심히 노력했다.

12월 중순까지 진행된 3년 차 애니맘 활동은 90여 명의 활동가가 2000여 명의 수혜자가 혜택을 받으며 마무리했다.

정말 수고 많으셨습니다. 감사합니다.

12 우리들의 조력자

우리가 운영했던 온라인망은 카카오톡 전체대화방과 지역 대화방, 밴드, 공개 채팅방을 활용했다. 카카오톡 전체대화방에는 90여 명의 활동가와 전산 담당 2명, 현장지원단 2명, 부서 관리자가 함께했다.

대화방에서 주로 하는 일은 소통공간으로 많이 활용되었고, 전체 공지사항 전달과 매월 활동비 지급을 위한 각 개인의 통계자료를 확인하고 착오가 있으면 전산팀과 소통하여 수정작업을 한다. 그리고 활동비 입금 후에는 입금액 착오 분을 확인하는 창구로도 활용했다.

활동 마감은 매월 1일에서 마지막 날까지 활동한 것만 제출한다. 매월 마지막 날까지 활동했던 자료를 모아, 다음 달 5일까지 지역

대화방에 올려주면 전산팀에서 전산입력을 하여 전체대화방에 통계자료를 올려준다. 14개 지역의 통계자료가 전체대화방에 올라오면 하루 이틀 사이에 각자 본인의 활동 개수를 확인하고 혹시나 오류가 발생하면 수정하여 재공지하여 확인절차를 마치고 모든 확인이 끝나면 활동 보고서 작성을 마감한 후 매월 10일 전·후로 시에 제출함으로써 한 달 활동을 마무리한다.

 마감된 전 지역의 자료를 출력하여 매월 10일 전후로 행정에 제출하면 행정에서는 확인 작업을 거쳐 말일경 활동비가 입금된다. 활동비가 입금되면 혹시 모를 계산 착오 및 입금 오류를 위해 통장 잔액을 확인하게 하고 잘못된 입금액이 있으면, 행정과 활동가의 중간에서 통계자료를 확인하여 맞는 정산을 할 수 있도록 한다. 카카오톡 전체대화방은 활동하고 있는 모든 사람이 꼭 참여해야 하는 정말 중요한 소통창구였다.

 지역 대화방은 14개의 지역 대화방이 있다. 각각의 지역마다 대화방을 만들어 내 지역에서 활동하는 활동가끼리 소통공간으로 활용하는 창구다. 신청자와 상담을 진행한 후 활동을 연결하기 위해선 신청자가 생활하고 있는 지역 대화방에 글을 올린다.

 언제, 어디서, 무엇을, 누가, 왜 신청하는지 육하원칙에 글을 올려주면 지역활동가끼리 의논하여 누가 활동을 하러 갈 수 있는지 또는 갈 수 없는지 상황을 이야기하고 활동 일정을 조율한다. 활동을 마치면 활동 보고서를 작성하여 지역 대화방에 자료를 올려주면 전산팀에서 보고서를 작성할 수 있게 된다. 그래서 각각의 지역 대화방에는 지역활동가와 운영진, 전산 자료 입력할 사람이 함께 초대되어있다. 애니맘 활동을 위해서는 지역 대화방에도 꼭 참여해야 하는 공간이다.

카카오톡 공개 채팅방은 일반 시민이 활동 문의와 신청 등을 문자 메시지로 참여하기 위해 들어오는 창구다. 공지사항에 활동에 대한 안내 문구를 작성해 놓고 공개 채팅방에 참여한 사람이 어떤 방법으로 참여하면 되는지 문의를 하면 글로써 답을 주거나 공개되어있는 전화번호로 전화할 수 있도록 안내되어 있다.

생각보다 공개 채팅방은 활성화되지 않았다. 아무래도 신청자 나이가 많으신 어르신이 많다 보니 휴대전화 사용능력이 떨어져서일 거라는 생각을 해본다. 밴드는 우리의 활동을 순서대로 정리하여 우리의 역사를 기록하는 홍보 창구다.
매번 다른 사람이 애니맘에 대해 무엇을 하는 것인지? 왜 하는 것인지? 등의 질문에 활동 안내 자료, 연혁 등을 올려 우리 활동의 역사를 한눈에 알아볼 수 있도록 글을 올려놓는다.
밴드에 올리는 것들은 활동을 위한 서식과 규칙, 우리가 활동한 자료 중 인상 깊은 것들이거나 우리가 함께 공유해야 할 것들을 올려준다. 그래서 밴드에 글을 쓰기 위해서는 한 사람이 전적으로 맡아 지속적인 작업을 해주어야 했기에 구성원 중 한 분이 맡아 우리가 활동하는 내내 작업을 해주었다. 지금 이글을 통해 감사의 말을 전해 본다.

"오랫동안 수고 많으셨습니다. 감사합니다."
 지금도 애니맘 밴드는 나의 휴대전화기에 『당진 당신을 위한 애니맘』이라는 이름으로 남아있다.

 지금 이 글을 쓰는 동안에도 나의 휴대전화는 내 노트북 화면 옆에 열려 있다. 그때 그 시절의 활동을 기억하며 확인하면서 적고 있기 때문이다.

 이렇게 3개의 온라인 창구를 활용했고 2년 6개월 활동하는 내내 이 4개의 창구는 우리에게 많은 도움을 주었고 추억을 남겼다.

13 마무리

홈케어 서비스 애니맘 활동은 지금도 계속되고 있다.

운영진이 새로 교체되고 진행하는 방법은 조금씩 달라지긴 했지만, 지역주민들을 위해 도움이 필요로 하는 곳에 애니맘 활동가들이 활동을 진행하고 있다.

내 지역의 긴급하게 도움의 손길이 필요한 사람을 위해, 내 지역의 활동가들이 도움을 주면서 서로 협력하는 공동체를 만들어가고, 여성의 일거리를 만들어가기 위해 어디에서도 볼 수 없었던 애니맘은 만들어졌다.

애니맘은 생활에 긴급한 어려움을 호소하는 사람을 위해 여성의 일거리 창출을 위해 앞으로도 계속될 수 있기를 바란다.

부록

홈케어 서비스 애니맘
활동 자료

' 2021년 자료〔시범운영〕

1. 애니맘 서비스 지역 및 활동가 구성

서비스지역 (애니맘 활동가)	대호지 정미면 (7명)	합덕읍 (10명)	순성, 면천면 (8명)	우강면 (6명)	송산면 (9명)	당진 1-3동 (15명)	합계 (55명)
서비스 쿠폰수량	120	120	120	120	120	60	660

- 사업 추진을 위한 설계 시뮬레이션(5.10~6.30)

 : 애니맘 매니저 활동가 모집

 : 서비스 제공을 위한 동행, 돌봄, 현장지원 서비스 조사

 (56부)

 : 일별 보고서 일지 마련 및 작성

 : 만족도 조사지 작성

 : 지역별 초기 시범사업추진 및 사업계획서 마련,

 애니맘 모집 등

2. 서비스 내용 및 활동비

서비스 내용	돌봄	동행	음식	클린	현장지원
서비스 단가	1시간=2만원		2시간=4만원		3시간=5만원
서비스 우선대상	농촌여성	전입인구	심신 힘든 이웃	취약계층	육아세대 등

(*) 여성의 경제활동 참여를 촉진하고, 지역의 지속가능한 발전을 위한 보살핌 등의 공익적 가치를 실현하기 위해 더 나은 정책적 대안으로서, 최저임금보다 더 좋은 임금산출로서 생활임금 10,000원과 여성일거리의 비정기적인 노동의 특성상 '안전'과 여성의 노동가치 '인정비용'을 포함하여 3시간에 50,000원을 지급하고자 함.

3. 서비스 지원방법

서비스 지원방법	○ 지역별 할당된 쿠폰 소진할 때까지 서비스 　제공(7.1~10.31) ○ 지역별 애니맘 TF 팀원을 중심으로 　- 현장 발굴 및 사업계획서 제출 　- 애니맘 활동가 확보 및 연계 활동 ○ 서비스 쿠폰 중 일부는 운영 쿠폰으로 전환하여 　사용 　- 할당쿠폰 중 20% 내 재료비, 주유비, 　사무용품비 등 사용 가능 ○ 제한규칙 　- 1인 애니맘 활동가 최대 서비스 활동 10회 　- 1인 수요자 최대 서비스 수요 5회 ○ 명찰 사전 제작 및 착용 후 방문 ○ 홈케어서비스 홍보물 제작 및 밴드, SNS 활용 　홍보

4. 애니맘 활동가 신청서

여성친화도시-여성의 경제사회참여 확대

당진형 여성일거리사업 - 홈케어서비스 애니맘

성 명		사진	
손 전 화			
주민등록번호	- (*) 비용입금시 필요		
집 주 소	당진시 (읍/면/동) (*) 도로명주소 기재		
자격증 및 기존에 주로 일 또는 활동분야	* * * (* 대표적인 것 3가지 정도 기재)		
서비스제공 희망분야	□돌봄 □홈케어 □동행 □음식 □카클린 □ 현장일손( ) (* 중복선택 가능)		
서비스제공 가능시간대	□ 평일(오전, 오후) → 가능한 요일(월, 화, 수, 목, 금) □ 주말(오전, 오후) (* 중복선택 가능, 추후 실제 서비스시간 사전협의 후 활동)		
계좌번호	(은행명)_____ (예금주)_____		
개인정보 수집·이용동의서	수집 및 이용 목적 : **비용 지급, 여성인재DB등록, 당진시정 홍보 등** 개인정보 항목 : 이름, 주소, 계좌번호, 휴대폰번호 등 보유 및 이용기간 : 국세기본법에 의거한 기간(5년)		

※ 귀하는 이에 대한 동의를 거부할 수 있으며, 동의를 거부할 경우 비용 지급이 불가능할 수 있음을 알려드립니다.

귀하의 개인정보를 수집 및 이용하는데 동의하십니까?

                □ 동의   □ 동의하지 않음

본인은 동 사업에 참여하면서 개인정보 수집·이용에 위와 같이 동의합니다.

                2021년   월   일

                        이름 :   (서명)

5. 애니맘 상담일지

문서번호	상 담 일 지		

상담자		일 자	
신청자		신청지역	

상 담 내 용			

상담결과 조치			

활동 애니맘	

6. 애니맘 활동 보고서 서식

당진형 여성일자리 인큐베이팅을 위한 일거리사업

홈케어서비스 애니맘 일별 활동 보고서

활동지역 : ① 읍/면/동		No. 쿠폰번호 : ②	

애니맘	이 름	③	은행명 계좌번호 예금주	⑥
	주 소	④		
	연락처	⑤	연령대	□ 30대 □40대 ⑧ □ 50대 □60대 이상
	개인정보 수집•이용동의 서	수집 및 이용 목적 : **비용 지급, 여성인재DB등록, 당진시정 홍보 등** 개인정보 항목 : 이름, 주소, 계좌번호, 휴대폰번호 보유 및 이용기간 : 국세기본법에 의거한 기간(5년)		
		※ 귀하는 이에 대한 동의를 거부할 수 있으며, 동의를 거부할 경우 비용 지급이 불가능할 수 있음을 알려드립니다.		
		귀하의 개인정보를 수집 및 이용하는데 동의하십니까 ⑨ □ 동의 □ 동의하지 않음 본인은 동 사업에 참여하면서 개인정보 수집•이용에 위와 같이 동의합니다. ⑩ 2021년 월 일 이름 ⑪ (서명)		

서비스 이용 주민	이 름	⑫	성별	⑭ □ 여 □ 남
	주 소	⑬	연락처	⑮
	연령대	□ 10대 □ 20대 □ 30대 □ 40대 □ 50대 □ 60대 ⑯		
	서비스 내용	□ 돌봄 □ 홈케어 □ 동행 □ 음식 □ 현장지원( ) ⑰		
	일시 시간	⑱ **2021년 월 일**	제공내용	° ° ⑳ °
	장소	⑲		
	개인정보 수집•이용동의서	수집 및 이용 목적 : **여성인재DB등록, 당진시정 홍보 등** 개인정보 항목 : 이름, 주소, 휴대폰번호 보유 및 이용기간 : 탈퇴요청시까지(2년마다 재동의)		
		귀하의 개인정보를 이용하는데 동의하십니까? ㉑ □ 동의 □ 동의하지 않음 ㉒ 2021년 월 일		
		※ 증빙 사진 첨부 이름 ㉓ (서명)		

활동지역 : ㉔ 읍/면/동	No. 쿠폰번호 : ㉕
㉖	㉗
㉘	㉙

홈케어서비스 애니맘 활동에 대한 보고서를 제출합니다.

㉚ 2021년   월   일

애니맘 이름 :   ㉛   (서명)

당진시 여성가족과장 귀하

7. ' 2022년 활동규칙

	활동규칙
자격 조건	1. 애니맘 활동가는 현 활동가를 우선으로 하며 각지 역에서 활동가를 모집한다. 2. 홍보방법은 전 단지, 스티커(필요한 경우 제공), SNS로 홍보한다. 3. 애니맘 활동은 중앙거점을 형성하여 중앙에서 상담하 고 연결하여 진행한다. 4. 각 지역에서 활동이 불가할 경우 모든 지역 협력하여 진행 한다.
활동 조건	1. 애니맘은 3가지 활동 현장지원(음식, 클린포함), 긴급동 행, 돌봄 모두 지원 2. 각 지역 2읍, 9면, 3동 총 278개 리에 애니맘 활동가를 형성한다. (최소 100명) 3. 비상 연락망 및 관계도 형성 4. 전산 작업(보고서 작성) 및 상담 전화 인력 2명 형성 - 구체적인 방법 추후 논의 5. 애니맘 역량 강화 교육 70% 이상 교육 이수 필수 - 레크레이션 및 소통 - CS(고객 만족 및 기본교육), 안전교육 - 아동·청소년 심리교육, 노인 심리교육, 간단한 놀이 및 게임 - 일별 보고서 작성 전산 교육 - 홈페이지 및 블로그 등 SNS 활용 교육 - 정리수납 교육

	6. 애니맘 활동을 못 하게 되는 경우 다른 활동가로 대체할 수 있는 시간 제공 7. 각 활동별로 최소 1개씩 활동하여야 한다. (년 최소 5회 활동) 8. 애니맘 활동가는 활동 당일 사전고지 없이 활동에 지장을 주거나, 거짓 활동이 발생 될 때 애니맘 자격을 박탈한다. (최종 3회)
활동 약속	1. 주민신청자는 한 신청자당 2회 활동신청 가능하다. (현5개) 2. 같은 활동으로 2회 모두 사용할 수 있다. 3. 활동 후 활동 자료는 바로 제공한다. 4. 활동시간은 최소 1시간, 최대 3시간으로 한정한다. 　- 그 이후 시간은 활동 인정 안 함 5. 3시간 이후의 활동시간을 다른 애니맘으로 연결하여 활동 연결할 수 있다. (활동가마다 3시간 인정 가능) 6. 불가피한 상황이 발생하면 원칙은 조정될 수 있다. 　- 최소 5인 이상 합의 후 7. 모든 활동은 여성 대 여성으로 진행한다. 8. 애니맘 활동을 안 하게 되는 경우 애니맘증 반납하기 9. 모든 활동은 타당한 근거 자료를 제공할 수 있어야 한다.

8. 활동 서비스 세부내용

애니맘 서비스 세부내용	
돌봄	1. 13세(초등 6학년) 이하 아동과 80세 이상 어르신 및 장애를 가지고 있는 사람으로 한정한다. 2. 가능한 1인이 활동하고 상황에 따라 2인이 활동할 수 있다 - 2세~3세 3명이상 공동 돌봄을 진행하는 경우 - 어르신 3명이상(거동이 불편한) 어르신을 돌봄 하는 경우 3. 돌봄을 신청한 주민신청자의 타당한 근거 자료를 첨부한다. - 사진 또는 영수증 및 타당한 서류 4. 돌봄 시 장소를 이동하는 경우 보호자에게 확인 후 이동할 수 있도록 한다. 5. 약속한 시간은 최대한 지킬 수 있도록 한다. 6. 차량 이동시 사고 건에 대해서는 자신의 자동차보험으로 처리한다. - 자차 이용 가능
건강지킴이	1. 병원 내원으로만 한정한다. 2. 80세 이상 몸이 아프거나 거동이 불편한 상황에 병원 내원이 필요한 경우 진행한다. 3. 일반인인 경우 긴급하게 병원내원이 필요하다고 판단되는 경우 진행한다. 4. 애니맘 활동가의 차량으로 이동 가능하나 사고시 활동가 자신의 자동차보험으로 처리한다.

현장지원	음식	1. 음식서비스 신청자 조건은 신체를 다쳐 거동이 불편한 경우에 진행한다. 2. 모든 활동은 주민 신청자와 애니맘 활동가의 합의하에 이루어지는 것을 원칙으로 한다. 3. 반찬 수는 5가지로 한정한다. 4. 활동시간은 3시간으로 인정한다. 5. 음식서비스는 3안중에 선택하여 진행한다. 1안) 주민신청자가 재료를 준비하여 주민신청자 자택에서 진행한다. 2안) 반찬재료와 반찬용기를 신청자가 제공하여 줄 때는 주민신청자가 애니맘에게 전달하여 주고 애니맘은 반찬을 만들어 주민신청자에게 전달 한다. 3안) 주민 신청자에게 원하는 반찬을 확인하여 애니맘이 재료를 구입하여 제공하는 것으로 재료 구입 전 주민신청자에게 근거 사진 제공을 통해 영수증 확인 후에 재료를 구입하여 반찬을 만들어 제공한다. 6. 음식서비스는 1인이 만들어 제공한다. 7. 외곽 어르신들에게 진행되는 활동은 각 지역의 애니맘들의 판단하에 진행한다.
	클린	1. 활동 신청시 서비스 제공 장소의 사진을 제공한다. 2. 신체거동이 불편한 경우 활동을 제공한다. 3. 2인1조로 활동 가능하다. 4. 외곽 어른신들에게 진행되는 활동은 각 지역의 애니맘들의 판단하에 진행한다.

현장 지원	1. 농사일 돕기 및 여타 여성들이 필요로 할시 활동한다. 2. 주말농장 및 텃밭 가꾸기 등의 곳은 활동을 지원하지 않는다. 3. 2인1조로 활동 가능하다. 4. 몸을 다쳐 활동이 불편할 시 추가지원 가능하다. 5. 활동한 시간만 인정한다.(3시간)	

9. 홈케어서비스 애니맘 일별 활동 보고서 작성 요령 및 준수 사항

홈케어서비스 애니맘 일별 활동 보고서 작성 요령 및 준수 사항

- 작성방법 및 규칙 -
1. 1 ~ 31 번 까지 빠짐없이 작성한다.
2. 애니맘과 서비스 이용주민은 여성 대 여성으로 한다.
3. 애니맘 활동비 입금 시 통장 사본과 신분증 사본 제출하여야 하며, 두 증빙 서류의 명의가 일치하여야 한다.
4. 애니맘과 서비스 이용주민은 개인 정보 활용 동의서 동의에 √ 하여야 한다.
5. 보고서 날짜는 활동 날짜를 기재한다.
6. 서비스 내용 항목 부가 설명

돌봄	어르신 돌봄, 아동돌봄(긴급·틈새), 장애인 돌봄, 환자돌봄 등 돌봄이 필요한 때
클린	집 청소 , 냉장고 정리, 지정구역정리, 차청소, 이불빨래 등 * 정리수납은 3시간을 기준으로 지정구역정리로 진행한다.
동행	귀가동행, 당진권역 병원동행, 등 동행의 필요성이 있을 때
음식	재료비는 서비스 이용주민이 자가 부담을 하고 애니맘은 조리하여 제공
현장지원	농촌 일손돕기, 여성1인 소상공인 사업자 긴급 도움 등 여성이 현장에서 도움이 필요한 때

7. 애니맘 활동비 산정 금액

서비스 내용	돌봄	동행	음식	클린	현장지원
서비스 단가	1시간 = 2만원		2시간 = 4만원		3시간 = 5만원
서비스 우선대상	농촌여성	전입인구	심신 힘든 이웃	취약계층	육아세대 등

8. 제공내용은 활동한 내용 중 구체적으로 3가지 정도 적는다.

9. 각 지역별 할당된 쿠폰 소진시까지 서비스 제공

  (우강-120 합덕-120 순성-120 대호지-120 송산-120

  그 외지역 60)

10.제한규칙

  * 1인 애니맘 활동가 최대 서비스 활동 10회

  * 1인 수요자 최대 서비스 수요 5회

  * 명찰 착용은 의무사항

11. 사진은 활동 시작 전1장 , 활동 중1장 , 활동마감 후 1장 최소

  3장 필수

12. 만족도 조사는 지필 또는 활동 후 온라인으로 제출 가능

13. 쿠폰 번호는 각 지역의 활동 진행 되는 순번을 기재 한다.

  (예시 : 당진 -1)

7. 시민 이용자, 애니맘 활동가 만족도 조사

<table>
<tr><td colspan="2" align="center">만족도 조사</td></tr>
<tr><td></td><td>

<시민 이용자>
1. 서비스 제공 시간은 적당합니까?
    ⑤매우만족   ④만족   ③보통   ②불만족   ①매우불만족
2. 서비스 질은 만족합니까?
    ⑤매우만족   ④만족   ③보통   ②불만족   ①매우불만족
3. 서비스 요청 방법은 간편하였습니까?
    ⑤매우만족   ④만족   ③보통   ②불만족   ①매우불만족
4. 서비스 이용시 소정의 비용이 발생하더라도 이용할 의향이 있습니까?
    ☐ 있다   ☐ 없다
5. 개인 부담하는 비용이 총 비용의 몇%가 적당하다고 생각하십니까?
    ① 10%   ② 20%   ③ 30%   ④ 40%   ⑤ 50%이상
6. 홈케어 애니맘 서비스를 주변인에게 소개 할 의향이 있습니까?
    ⑤매우그렇다   ④그렇다   ③보통   ②그렇지않다   ①매우그렇지않다

<애니맘 활동가>
1. 서비스 제공 시간은 적당합니까?
    ⑤매우만족   ④만족   ③보통   ②불만족   ①매우불만족
2. 서비스 이용주민이 원하는 내용대로 서비스제공이 가능했습니까?
    ⑤매우그렇다   ④그렇다   ③보통   ②그렇지않다   ①매우그렇지않다
3. 서비스 제공시 안전이 보장 되었습니까?
    ⑤매우그렇다   ④그렇다   ③보통   ②그렇지않다   ①매우그렇지않다
4. 활동가로서 주변인에게 활동을 권유할 의사가 있습니까?
    ☐ 있다   ☐ 없다
5. 지속적인 활동 의향이 있습니까?
    ⑤매우그렇다   ④그렇다   ③보통   ②그렇지않다   ①매우그렇지않다

제공하면서 느낀 아이디어, 주민의견 등 자유롭게 서술

</td></tr>
</table>

8. 2021년 애니맘 활동통계 자료

구분	돌봄서비스	건강지킴이	음식서비스	클린서비스	현장지원	총계
합덕	3	30	19	3	80	135
대호지	20	27	30	21	52	150
순성	2	5	79	1	83	170
우강	19	11	8	6	61	105
송산	68	13	3	5	40	130
당진1~3동	52	23	2	5	24	105
합계	164	109	141	41	340	795

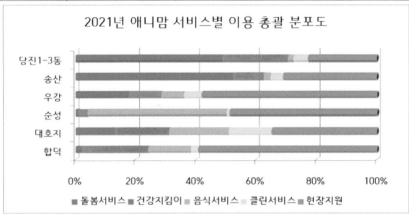

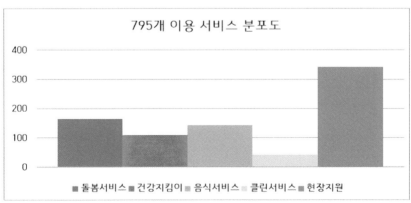

8. 애니맘 활동가 서비스 참여 만족도조사 - 총 44명 참여

44명 응답 　[응답 별 결과보기 >]　[필터]

요약

1. 서비스 제공 시간은 적당합니까?

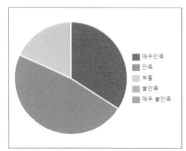

[숨기기 취소]　[정렬 초기화]　[조합]　[**차트 편집**]

		응답	응답수	
◉	☐	매우만족	15	34.1%
◉	☐	만족	21	47.7%
◉	☐	보통	8	18.2%
◉	☐	불만족	0	0%
◉	☐	매우 불만족	0	0%

2. 서비스 이용주민이 원하는 내용대로 서비스제공이 가능했습니까?

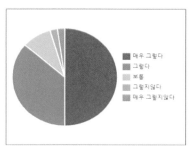

[숨기기 취소]　[정렬 초기화]　[조합]　[**차트 편집**]

		응답	응답수	
◉	☐	매우 그렇다	22	50%
◉	☐	그렇다	16	36.4%
◉	☐	보통	4	9.1%
◉	☐	그렇지않다	1	2.3%
◉	☐	매우 그렇지않다	1	2.3%

3. 서비스 제공시 안전이 보장 되었습니까?

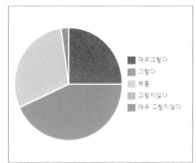

		응답	응답수	
⊚	☐	매우그렇다	11	25%
⊚	☐	그렇다	19	43.2%
⊚	☐	보통	13	29.5%
⊚	☐	그렇지않다	0	0%
⊚	☐	매우 그렇지않다	1	2.3%

숨기기 취소　정렬 초기화　조합　**차트 편집**

4. 활동가로서 주변인에게 활동을 권유할 의사가 있습니까?

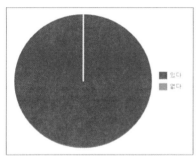

		응답	응답수	
⊚	☐	있다	44	100%
⊚	☐	없다	0	0%

숨기기 취소　정렬 초기화　조합　**차트 편집**

5. 지속적인 활동 의향이 있습니까?

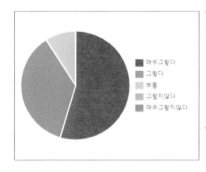

		응답	응답수	
⊚	☐	매우그렇다	24	54.5%
⊚	☐	그렇다	16	36.4%
⊚	☐	보통	4	9.1%
⊚	☐	그렇지않다	0	0%
⊚	☐	매우그렇지않다	0	0%

숨기기 취소　정렬 초기화　조합　**차트 편집**

9. 2021년 애니맘 활동 제공하면서 느낀 아이디어, 주민 의견 등 서술

	애니맘 활동 제공하면서 느낀 아이디어, 주민 의견 등 서술
1	내가 부리는 사람이다~라는 시선을 한번 느낌.
2	조금은 부담스럽지만 가까이 보니 반가워하고 고맙다면서 표현을 하니 저 또한 마음이 흐뭇하였습니다.
3	항상 주위에 애니맘들이 적은 시간이라도 이웃 주민들과 소통하며 일손을 도와줄 수 있어서 보람되었습니다.
4	애니맘들 4대 보험 적용해주세요.
5	주민분들이 고맙게 생각하시며 감사한 마음을 모든 분께 전달해달라고 하셨습니다~
6	농촌 지역이라서 거의 연세가 많으셔서 시간이 부족 할 때도~
7	꼭 필요한 사업입니다. 개인적인 비용을 지급하더라도 틈새 돌봄이 필요한 경우 이용할 수 있으면 좋겠습니다.
8	애니 맘이 있다는 것이 든든하다고 하셨습니다.
9	정부 지원을 받지 않는 가정에서 위급할 때 도움을 받을 수 있어서 좋았다고 하셨다.
10	현장 지원하기에는 3시간이 너무 짧을 때가 많으며, 돌봄이나 다른 활동에는 시간적인 여유가 좀 많았으면 합니다.
11	더 많은 사람에게 혜택을 받을 수 있는 사업이 될 수 있었으면

	좋겠다.
12	활동시간이 좀 짧은 듯하다. 필요하면 연장 가능했으면 한다.
13	시간이 좀 짧다고 하는 분들이 있었음. 기본 애니맘은 3시간으로 하고 추가로 시간을 추가할 경우는 별도의 비용을 이용주민이 활동가와 협의해 진행 가능하도록 하면 좋을 것 같다.
14	활동 중 사고 발생 시 어찌해야 할지요
15	시민이용자들이 애니맘 활동가를 악용하지 않도록 규약을 잘 만들어나가면 좋겠습니다
16	아직 많은 활동을 하진 못했지만 정말 필요한 곳에서 도움을 줄 수 있다는 게 아~ 내가 필요한 곳이 있어서 좋았습니다.
17	너무 쉽게 생각한다.
18	밭을 같은 경우는 시간이 부족해요
19	아이 돌봄 같은 경우 5.6시간 돌봄 할 경우도 있다. 하루 한 명이 2개 연달아 쿠폰사용이 가능했으면 좋겠다.
20	좀 더 많은 시민에게 혜택이 돌아가면 좋을 듯합니다.
21	가능한 시간에 맞춰서 할 수 있어 좋아요
22	현장 활동은 시간을 더 길게 해줬으면 하고 아쉬워하신다. 이런 서비스가 있다는 것에는 좋아하신다.

10. 애니맘 서비스 이용자 만족도 조사 결과 - 총 306명 참여

1. 서비스제공 시간은 적당합니까?

■ 매우만족 ■ 만족 ■ 보통 ■ 불만족 ■ 매우불만족 ■ 응답없음

2. 서비스질은 만족합니까?

■ 매우만족 ■ 만족 ■ 보통 ■ 불만족 ■ 매우불만족 ■ 응답없음

3. 서비스요청 방법은 간편하였습니까?

■ 매우만족 ■ 만족 ■ 보통 ■ 불만족 ■ 매우불만족 ■ 응답없음

4. 소정의 비용이 발생하더라도 이용할 의향이 있습니까?

■ 있다 ■ 없다 ■ 응답없음

5. 개인이 부담하는 비용은 총 몇%가 적당하다고 생각합니까?

■ 10% ■ 20% ■ 30% ■ 40% ■ 50%이상 ■ 응답없음

6. 애니맘을 주변인에게 소개할 의향이 있습니까?

■ 매우그렇다 ■ 그렇다 ■ 보통 ■ 그렇지않다 ■ 매우그렇지않다

11. 2021년 애니맘 서비스를 제공받으며 느낀 의견들

	7. 애니맘 서비스를 제공받으며 느낀 의견들
1	긴급하게 아이를 맡기면서 시간은 짧았지만 그래도 이런 서비스를 받을 수 있게 되어 좋았고 내년에는 더 큰 혜택이 있었으면 좋겠어요~
2	코로나백신 접종은 75세이상 분들만 지원이 되는데 몸이 아프시거나 교통편이 안되시는 분들의 지원이 필요하다고 봄
3	매우만족
4	새벽에 아이를 믿고 맡길 곳이 마땅치 않았는데 돌봄을 받을 수 있어서 좋았음
5	돈을 내면 부담이 된다.
6	받아보니 좋다.
7	좋은데 돈을 내는 것은 싫다.
8	너무 좋으신 엄**선생님을 만나게 돼서 너무 좋았어요! 엄마처럼 잘해주시고 아이들 케어도 걱정 없이 해주시고 나중에 이런 기회가 있으면 또 엄선미 선생님께 받을래요. 아이들 픽업 문제를 해결해 줘 줘서 만족도가 무척 높음
9	교통이 불편하고 맞벌이 가정의 아이들도 이용할수 있게 되어 너무나 좋다고 함
10	긴급하게 일을 하게 되면 아이 맡기길 걱정하였는데 서비스를 이용할수 있게 되어 너무나 좋다고 함

11	당진에서는 대부분 타지에서 오는 사람들이 많은데 어려움이 있는 경우 도움을 청할 곳이 없습니다. 당진시에서 하는 이런 서비스를 이용하면 긴급시 도움을 받았고 무엇보다 선생님들이 진심으로 대해주셔서 정말 감사했습니다. 이런 따뜻한 서비스 덕분에 당진 정착에 안정이 된다고 생각합니다. 정말 필요하다고 생각합니다. 서비스 활동이 확대되길 바랍니다.
12	애니맘의 신상을 미리 고지하면 좋겠다.
13	위급한 상황에서 잘 사용했습니다
14	서비스가 좀 더 다양해지면 좋을 것 같구요. 다시 한번 감사드려요. 내년사업을 기대할게요.
15	서비스 이용이 매우 편리하고 신청방법이 간단하여 만족도 높음. 단 서비스 제공시간이 연간 15시간으로 한정되어 있어 1번 문항에 불만족 선택하였음.(문항에 추가 질문으로 불만족 이유를 적도록 하는 것이 원인을 알고 보완할 수 있을 듯)
16	맞벌이 가정의 경우 학원을 이용하지 않으면 등. 하 교시 어려움이 있으므로 등하고 차량 지원 시 매우 만족도가 높을 것으로 보임. 아이 돌봄 서비스의 경우 이동지원이 불가하므로 22년도 사업 시 등. 학교 지원 서비스를 특화하여 진행한다면 이용하고자 하는 가정이 많을 것으로 생각됨

17	개인적으로 이 서비스에 대한 만족도는 200% 이상이며 맞벌이라 근무 중 필요한 시간에 아이의 픽업 서비스가 이루어져서 안심하고 근무할 수 있어서 너무 감사 드림. 전업주부에게도 필요한 서비스이겠지만 워킹맘에게는 정말 단비같은 서비스. 그리고 연간 이용 시간을 늘려주세요. 연간이용시간 늘렸으면 합니다.
18	시간을 추가로 사용했을 때 명확한 가격 책정이 되어 있으면 협의하기가 더 편할 듯합니다.
19	돌봄의 경우 아는 사람에게 부탁하는 때도 있으므로 활동가로 꾸준히 하지 않더라도 일시적 활동을 할 수 있다면 더욱 많은 사람에게 애니맘을 사용할 기회가 생길 것 같습니다.
20	요청하는 부분을 인터넷을 활용하면 더욱 편하게 진행 될 것 같습니다.
21	필요시 제공 받을 횟수나 시간을 자유롭게 이용 받고 지역 특성상 예외조건이 있으면 좋겠습니다.
22	서비스요청방법이 좀더 체계적 있으면 더 좋을 것 같습니다.
23	서비스 카테고리별 전문제공자의 구분이 되어도 좋을 것 같아요.
24	현장지원으로 농사일을 도와주시러 오면 시간이 많이 부족합니다. 쿠폰 3개 이상이 적당하다고 생각합니다.
25	타지에서 당진으로 왔는데 주변엔 아는 사람도 없고 막막했습니다. 애니맘 서비스가 있다는 걸 알고 이용하였는데 완전 적극적으로 가족보다 더 잘 챙겨주셔서 정말 감사드리고 당진시민이라는 게 뿌듯했습니다. 애니맘 서비스는 당진에 꼭 필요하다고 생각이 들고 선생님들의 처우도 더욱 좋아졌으면 좋겠습니다. 애니맘 최고입니다

26	내가 아프고 나이가 많아서 못 하는 일을 와서 도와주니 고맙고. 좋았는데 자부담이 많으면 부담스러워서 어려울 것 같아요.
27	육아맘들에겐 너무 좋은 서비스인거 같아요.
28	평소에 알고 지내던 믿을 수 있는 우리 주변 애니맘에게 아이를 맡길 수 있어서 너무 안심되고 좋았다. 꼭 이용할 수 있게 얼른 생겼으면 좋겠어요.
29	시간이 더 많았으면 좋겠습니다.
30	급한 시기에 너무 큰 도움이 되어 감사합니다.
31	아이 키우면서 생기는 돌발 상황이 많아 애니맘 서비스 너무 좋았어요.
32	활동가님이 적극적이시고 쾌활하셔서 좋았습니다. 3시간보다 조금 길게도 괜찮을 거 같아요. 청소를 한다 해도 한번 마음먹고 하면 그 이상이 될 수도 있어서 최대 4시간까지 된다면 더 좋을거 같아요.